EDUCA A TU HIJO PARA LA FELICIDAD Y LA ABUNDANCIA

Secretos de una mamá – coach

EDUCA A TU HIJO PARA LA FELICIDAD Y LA ABUNDANCIA

Secretos de una mamá – coach

Joanna Habiak

1ª Edición febrero 2021 : *Educa a tu hijo para la felicidad y la abundancia*
Diseño de portada: Doce Calles
Colección Exit editorial

© de los textos: Sus autores
© de la presente edición:
   Ediciones Doce Calles S.L.
   Apdo. 270 Aranjuez. 28300 (Madrid)
   Tel.: (+34) 91 892 22 34
   docecalles@docecalles.com

ISBN: 978-84-9744-356-2
Depósito legal: M-18123-2021
Impreso en España

"Es en los momentos de decisión cuando se forma tu destino".
(Tony Robbins)

Este libro está dedicado para ti, mi amor, para que en tu vida seas muy feliz y abundante.

Para Daniel con todo mi amor, mamá.

https://youtu.be/JitoG0XOL4s

Índice

Nota de la autora

Este libro está escrito en forma de conversación con mi hijo de 14 años. Por ello, en la mayoría de los capítulos utilicé las historias personales o anécdotas, ya que estas tienen una estructura muy poderosa para transmitir la información y lograr que se quede grabada en nuestra memoria.

También está repleto de emoticonos, dibujos y algunas palabras típicas para el dialecto de los adolescentes. Además, debajo de algunos capítulos, adjunté varios documentos ocultos tras los códigos QR, que permiten alcanzar de forma más sencilla los propósitos en distintos temas.

Antes de comenzar la lectura recomiendo prepararte una taza de infusión o chocolate humeante, si lo lees en la época de invierno, y si disfrutas la lectura durante los meses calurosos, un vaso de agua refrescante será más que apropiado.

Mis recetas están adjuntas debajo de esta misma nota.

¡DISFRUTA DE LA LECTURA!

"No importa lo ocupado que piensas que estás, debes encontrar tiempo para leer, o entregarte a una ignorancia autoelegida". (Confucio)

https://joannahabiak.com/mimate-durante-la-lectura/

Prólogo

¿Tus padres querían que fueras feliz? Si tú tienes hijos (o piensas en tenerlos algún día) ¿Querrías que fueran felices y abundantes? Me atrevería a apostar que tus respuestas a estas preguntas serían algo así como "Sí, creo que mis padres querían lo mejor para mí, aunque no siempre supieron cómo hacerlo..." o "¡Por supuesto que quiero que mis hijos sean felices y tengan una vida mejor que la mía!"

Muchas personas hemos sido educadas para pensar que la vida consiste en estudiar, tener un empleo, casarte, tener una hipoteca, una casa, un coche, hijos y trabajar hasta que llegue el momento de la jubilación. Entonces, cuando haya transcurrido una gran parte de nuestra vida y estemos liberados de ciertas obligaciones, ya pensaremos en disfrutar de la vida.

El año 2020 vino y alteró nuestras vidas, cambió lo que habíamos conocido hasta el momento. Llegó el confinamiento y muchas personas comenzaron a replantearse su vida. La vida que habían conocido hasta entonces, sus trabajos, su supuesta felicidad. Tal vez tú seas una de ellas.

¿De verdad la vida consiste en esto? ¿Cómo he estado viviendo hasta ahora? ¿Esta vida me hace realmente feliz o solo estoy haciendo lo que se supone que tenía que hacer?

¿Es esto lo que quiero para mis hijos? ¿Hay otra manera de vivir?

Se ha escrito mucho sobre la felicidad y cómo alcanzarla.

Hay incluso una extensa investigación de la Universidad de Harvard que se llevó a cabo durante más de setenta años. Poco antes de que este libro viera la luz, en una formación de coaching que impartió Mauricio Benoist y que realicé junto a Joanna, nos compartieron este escalofriante dato: un estudio demuestra que solo el 7 % de las personas ha podido tener una vida totalmente feliz y épica.

Y tú. ¿Tienes una vida feliz y abundante? ¿Formas parte de ese Club del 7 %? ¿Es posible enseñar y educar a un hijo en aquello que no se conoce y se vive plenamente para evitarle nuestros errores y nuestro dolor?

En este libro, la coach Joanna Habiak te desvela algunas de las claves para la felicidad y la abundancia que ha descubierto y aprendido de la mano de sus mentores y a través de su propia experiencia como madre y como coach. Sus páginas son un regalo que nace desde el amor hacia su hijo Daniel, en el que la autora recopila una serie de historias y aventuras personales ligadas a estos secretos de vida, con el deseo de que tú también conozcas cómo alcanzar tu propia felicidad y logres educar a tu hijo para la felicidad y la abundancia.

Macarena M. Millán

Introducción

El año 2020 prometía ser revelador, grandes planes personales, aumentar los emprendimientos, retomar la costumbre de viajar, después de más de dos años de sacrificios para reformar nuestra nueva casa... Nadie esperaba una pandemia y desde luego que jamás pensé que el COVID iba a cambiar mi vida.

Con el comienzo de la cuarentena me dio el síndrome de *"cursitis"*, me apunté a todos los *webinars* que me motivaban. Desde hace ya un tiempo seguía a varios mentores como Jürgen Klarić, Manuel Alonso y Mauricio Benoist. Sus suculentas ofertas en esta época me animaron para comprar varios cursos.

Es así como descubrí la profesión de *coach* y decidí dedicar mi tiempo y esfuerzo para profundizar en los conocimientos acerca de esta relativamente nueva materia. Al adentrarme en los misterios del *coaching*, por inercia, me he convertido en una incomodadora profesional. Pero no solo eso. Todo lo que iba aprendiendo marcó un antes y un después en mi vida, me enseñó a educar mi parte espiritual, vivir en presente y estar muy agradecida por lo que tengo. Además, gracias a la incesante búsqueda de nuevas fuentes de inspiración, descubrí otros grandes mentores que poco a poco iban calando en mi mente y en mi corazón, entre ellos, Tony Robbins, César Lozano, Marisa Peer, Emily Fletcher y Miguel Ángel Cornejo.

Gracias a ellos, tanto a los que sigo desde hace un tiempo como a los nuevos, en mi cabeza se empezó a gestar una idea loca. Empecé a soñar con aportar mi granito de arena a este mundo: quería dejar un legado para ti y todos tus descendientes.

Durante el tiempo que escribo este libro, eres un adolescente que se pasa el día diciendo: "Mamá, no seas pesada" (espero no estar sola en este padecer). La lectura no es tu fuerte, así que este libro será todo un reto para ti (me hace mucha gracia 😂 imaginar tu cara de incredulidad cuando te lo entregue). Mi propósito es que lo leas con comprensión y aproveches lo que yo tuve que aprender sola durante estos años.

Secretos de una mamá coach nace desde la gratitud por el aprendizaje recibido. Es el fruto de mis victorias y mis tropiezos, experiencias con todas las personas que se cruzaron en mi camino y, por tanto, lo enriquecieron. Es la esencia de lo que aprendí de mis maestros, de los libros y de la vida misma.

Deseo que este libro sea tu guía, algo que te ayude en tu vida presente y futura, incluso, cuando ya no esté (pero no será pronto puesto que mi meta es vivir 123 años 😜).

https://youtu.be/0-JOjrNHRal

Nadie nace sabiendo

"El aprendizaje es experiencia, todo lo
demás es información"
(Albert Einstein)

Un buen libro de una incomodadora profesional debería empezar con una pregunta, por ello no voy a cambiar esta buena costumbre.

El otro día andaba escuchando a uno de mis mentores favoritos en *coaching* ejecutivo y, de repente, me di cuenta de que las mismas preguntas que hacemos para una empresa son perfectamente apropiadas para la familia y, por lo tanto, a la relación con nuestros hijos.

Entonces, me pregunté: ¿cúal es el trabajo de los padres? La respuesta vino sola: preparar a nuestros hijos para la vida feliz y abundante. A partir de ahí tuve claro que este libro (además de las enseñanzas diarias) sería el mayor regalo para ti y esta idea me dio un "chute" de energía para seguir escribiendo, incluso cuando me llegaban dudas.

Desde pequeña fui una niña inconformista, siempre buscaba nuevos retos. Cada vez que me planteaba un nuevo objetivo, lo pintaba como algo sumamente importante para mi felicidad y, nada más conseguirlo, entendía que aún no era lo que buscaba. Me faltaba algo más. Así sucedió con la primera muñeca, mi primera matrícula de honor, mi primer trabajo de responsabilidad, el primer novio o la casa (en este caso, la primera, la segunda...). Llegué a pensar que era una persona muy desagradecida e incluso en una ocasión escuché que actuando así jamás iba a ser feliz. Me dolió mucho este comentario, por ello permanecí reprimida durante años, dedicándome por completo a ti y a mi trabajo.

Hasta que un día llegó el despertar...

Por primera vez escuché, en uno de los cursos de Jürgen Klarić, sobre la mente mediocre y los patrones de comportamiento. El tema me fascinó hasta tal punto que pasaba horas escuchando conferencias y talleres acerca de ello. Todo el aprendizaje que iba adquiriendo fue la piedra angular para mi transformación. En aquella época me di cuenta de que el sistema educativo está incompleto y no nos enseña las cosas más importantes para la vida. Algunos llevan años en busca de estos conceptos, otros mueren en el intento y hay también los que ni se molestan en cuestionar nada (los famosos incompetentes inconscientes).

En algo más de un año y sin la dedicación plena, aprendí más cosas que durante la universidad o los másteres que cursé.

Y es cuando vino la famosa reflexión que muchos seguramente hayáis experimentado: "Ojalá hubiera sabido todo lo que sé ahora cuando tenía veinte años".

Y no me refería a ningún tema específico, hablaba de las competencias blandas, de todo lo que aprendí a base de "palos".

Me llevó más de 40 años entender que no podía sentirme feliz sin conseguir la abundancia plena, un concepto tan sumamente importante y no solo relacionado con el dinero, como solía pensar.

Por ello, decidí aplanar tu camino e iluminarlo hasta el punto necesario con mis ejemplos, al menos para que no desperdicies tantos años buscando algo que ya está inventado.

¿A qué me refiero hablando de la abundancia?

Antes de seguir quiero explicarte a qué me refiero con abundancia. La palabra proviene de latín *(abundantia)* y se refiere a una gran cantidad de algo. Imagino tu sonrisa pícara y las enormes ganas de exclamar "¡Eureka!", acompañada por la irónica explicación: "En estos tiempos somos muy abundantes: las deudas, el COVID o quizás problemas en el trabajo o la familia". Y NO, no me refiero a la gran cantidad de desgracias. Ser abundante para mí es riqueza en dinero, relaciones, salud, energía y tiempo. La abundancia, sobre todo, es un estado mental, el resultado de nuestras creencias. Para llegar a ser abundante hay que comprender que somos los únicos que nos limitamos, los únicos que nos ponemos un tope, ya que el universo es infinito y capaz de suministrarnos los recursos que deseamos.

Somos responsables de los resultados de nuestra vida, tanto si nos gusta como si no, porque lo que vivimos es la consecuencia de nuestras creencias y, por lo tanto, de nuestras acciones. El secreto es muy sencillo: nuestros pensamientos y nuestro lenguaje crean nuestra realidad. Por ello, hay que tener sumo cuidado con lo que pensamos y cómo nos comunicamos, sobre todo si los frutos que cosechamos no son los esperados.

En el desafío de Marisa Peer aprendí las reglas básicas de la mente y las adopté para mi vida con grandes resultados. Son cosas muy sencillas, pero sumamente poderosas.

A continuación, te detallo los ocho secretos de la mente descubiertos por esta gran maestra:

• Tu mente siempre cumple tus deseos.

Cuando deseas algo de verdad suele cumplirse, la clave consiste en enfocarte en lo que deseas y no en lo que no quieres. Repítete lo que sí vas a conseguir y tu mente te llevará a ello. Por ejemplo, ¿recuerdas que últimamente cada vez que dijiste convencido que ibas a obtener buenas notas en los exámenes fue exactamente así? Es así como funciona.

• La imaginación siempre gana a la lógica.

Lo que eres capaz de imaginar y visualizar vencerá cualquier lógica. Por ello, siempre imagínate rodeado de la abundancia y la felicidad. Por ejemplo, hace mucho tiempo imaginé que vivíamos en el sitio en el que vivimos ahora, cuando aún ni tenía planeado mudarme a España. Y aquí estamos.

• Tu mente siempre hará lo que cree que quieres que haga.

La mente siempre intentará alejarte del dolor y llevarte al placer. Si hay algo en tu vida que quieres y aún no has conseguido es porque tu mente piensa que no lo quieres. Por ello, manda un mensaje claro y repetitivo a tu mente sobre el objetivo que quieres alcanzar. Por ejemplo, si quieres seguir una rutina de ejercicio convence a tu cerebro de que eso es lo que quieres, dile que amas hacer ejercicio, que tu cuerpo fue creado para ello y no malgastes tu energía pensando que es demasiado sacrificio y que lo odias. Todas las personas que han llegado a grandes resultados en cualquier ámbito de su vida han seguido una estricta disciplina estando convencidos de que es su gran pasión.

- Tu mente responde a tus imágenes mentales y diálogo interno.

El cómo te sientes depende de dos cosas: de tus imágenes mentales y de tu diálogo interno. Por ejemplo, si quieres tener dinero, aprende a conectarte con él, imagínate disfrutando de grandes viajes, rodeado de abundancia o cobrando grandes facturas por tus servicios, piensa que todos los clientes están agradecidos por tu trabajo y te pagan lo que mereces. Di a tu mente que eres una persona muy creativa, que siempre consigue lo que quiere.

- Tu mente aprende por repetición o intensidad.

Repítete siempre cosas positivas y olvídate de las negativas, ya que los efectos serán los resultados de las repeticiones. Los pensamientos malos te estresan y te deprimen, elimínalos de tu mente y prográmala según tus deseos. Por ejemplo, ¿recuerdas cómo te enseñé a crear los tableros de visión? Créalos según cambien tus objetivos y dedica un tiempo cada día para visualizarte disfrutando de los resultados, como si fueran realidad.

https://joannahabiak.com/tablero-de-vision/

• Tu mente ama lo conocido.

Ayuda a tu mente a familiarizarse con las cosas que te gustaría hacer. Utiliza el concepto de desaprender. Por ejemplo, si te es conocido no leer, familiarízate con la lectura.

Repítete a diario: me estoy familiarizando con la lectura y de tanto repetir al final tu mente lo aceptará. Cree en ti mismo, felicítate, anímate.

• Tu mente no puede sostener las creencias contradictorias.

Las creencias contradictorias se eliminan mutuamente y por ello hay que eliminar viejas creencias que no te sirven e instalar nuevas que cumplan tus metas. Recuerda que avanzamos hacia aquello en lo que nos enfocamos. Por ejemplo, si piensas: "Quiero ser rico, pero no quiero que mis amigos me quieran solo por mi dinero", tu mente lo eliminará. Debes pensar: "Soy rico, tengo muchos amigos, la gente me quiere y me reconoce".

• Primero creamos nuestras creencias y después ellas nos crean a nosotros.

Tu mente no reconoce lo que es verdadero y lo que es falso, no entiende de bromas, así que aprovéchalo. Crea tu vida tal y como la deseas para que se cumpla. Por ejemplo, no te digas nunca que no eres capaz de conseguir algo. Todo lo contrario: di que eres excelente en algo y que puedes conseguir todo lo que te propones.

Es lo más simple que aprendí y me parece increíble que se hable tan poco de este tema, sobre todo porque analizando la vida de la gente más exitosa se ha descubierto que estas reglas forman parte de sus logros.

"La felicidad es el deseo de repetir". (Milan Kundera)

¿Y qué hay de la felicidad? (me encanta este rollito de las preguntas, me estoy volviendo experta 😆).

Para poder contestar esta pregunta primero habría que definir la felicidad. Aquí va lo que encontré en *Google*, en el sitio *web* Significados:

"La felicidad es el estado emocional de una persona feliz; es la sensación de bienestar y realización que experimentamos cuando alcanzamos nuestras metas, deseos y propósitos; es un momento duradero de satisfacción, donde no hay necesidades que apremien, ni sufrimientos que atormenten".

Entonces, ¿podríamos decir que ser próspero y abundante nos lleva a la felicidad? Sin lugar a duda, siempre y cuando tengamos claro nuestro propósito de la vida y no nademos en este inmenso océano de nuestro paso por el mundo sin rumbo alguno.

Puede ser que no encuentres a la primera cuál es tu propósito, a mí me llevo muchos años y no es malo, pero si utilizas el antiguo método japonés *IKIGAI*, será mucho más sencillo y te evitará bastantes frustraciones.

"Si no sabes cuál es tu misión en la vida, ya tienes una: encontrarla". (Viktor Frankl)

Se puede traducir *Ikigai* como *"el sentido de la vida"*, es lo que hace que tengamos ganas de levantarnos y seguir adelante día tras día y a pesar de todo.

¿Recuerdas las veces que te he repetido que si trabajas en lo que verdaderamente amas jamás vas a sentir que trabajas? Pues esta idea es uno de los cuatro componentes de nuestro *Ikigai*.

La mejor manera de realizar el ejercicio en busca de nuestra misión es seguir los pasos de los autores del libro *El método Ikigai*, que recomiendan hacer una lista de los cuatro ingredientes y cumplimentarla con franqueza. Por ello, debes dedicar un tiempo de calidad para sentarte y escribir las ideas que salgan de tu corazón y de lo más profundo de tu ser.

En una hoja dibuja el cuadrante con los siguientes conceptos y deja el espacio para poder cumplimentarlo:

• Lo que amo.
• Lo que el mundo necesita.
• Aquello por lo que puedan pagarme.
• Aquello en lo que soy bueno.

Recuerda que sobre todo debes ser honesto contigo mismo y no permitir que la razón domine por completo a las emociones.

Imagino que la parte más sencilla es detallar lo que cada uno ama, pero no hay que olvidarse que el secreto de la larga y próspera vida no consiste en caer en el estado de egocentrismo. Las personas más longevas que habitan Okinawa (Japón) encuentran mucha satisfacción en ayudar a otros, por ello acuérdate siempre de las necesidades de tu familia y amigos y si, además, puedes ayudar al mundo, será algo maravilloso.

Y así llegamos a la parte económica. Siempre te he dicho que el dinero es maravilloso y es el medio para conseguir todo aquello que anhelamos. Siéntete orgulloso por cobrar tu trabajo y jamás permitas que nadie te haga perder el respeto por el dinero.

En el apartado "aquello en lo que soy bueno" no te dejes influenciar por el juicio de los demás. Lo importante es lo que piensas e incluso, si hay algo que consideras que perfeccionando se te daría bien, considéralo en este momento.

El lugar común donde se cruzan los cuatro círculos, que es como gráficamente se representa este ejercicio, es tu *Ikigai*.

Aquí viene el consejo más valioso; para desarrollar el *Ikigai* debes tomar acción, ya que en múltiples ocasiones las personas que consiguieron el éxito primero actuaron y de ahí desarrollaron la pasión por algo. También acuérdate de que corregir el rumbo es de sabios, si alguna vez notas que no estás satisfecho con lo que haces, vuelve a revisar este ejercicio, dedica tiempo a lo que dejaste olvidado o cambia lo que no está funcionando.

"El secreto para una vida exitosa es encontrar nuestro propósito y luego hacerlo". (H. Ford)

https://joannahabiak.com/objetivo-ikigai/

La felicidad y el amanecer

"La felicidad humana generalmente no se
logra con grandes golpes de suerte, que pueden
ocurrir pocas veces, sino con pequeñas cosas
que ocurren todos los días".
(Benjamin Franklin)

Esta mañana andaba algo distraída. Ayer me llegó un mail con una propuesta de un nuevo curso de Jürgen Klarić y cinco veces estuve a punto de adquirirlo, pero siempre me frenaba algo. Nada más despertarme comprobé que la oferta aún estaba vigente, sin embargo, en vez de pasar la tarjeta por el carrito, salí a la playa como de costumbre. En esta ocasión elegí escuchar a César Lozano y su taller sobre la importancia de escribir.

La playa estaba aún bañada en la oscuridad, pero el cielo prometía un amanecer espectacular. Me puse en marcha y, conforme avanzaba, mi mente empezaba a relajarse y calmarse. Me encanta escuchar al Dr. Lozano y en esta ocasión el tema era más que apropiado. Mi libro estaba algo abandonado, ya que estaba leyendo sobre *Ikigai* para poder terminar el primer capítulo. Las palabras de César retumbaban en mi cabeza, la historia sobre su trayectoria como escritor me emocionó profundamente.

Miré al cielo y me quedé atónita. Vi más de cien amaneceres seguidos en los últimos meses, pero ninguno era tan precioso. Los colores del cielo vibraban sobre la superficie del mar y empecé a sacar fotos para captar toda esa belleza. De repente me di cuenta de que la noche anterior había pedido una señal para saber qué debía hacer con la adquisición de este curso y la acababa de recibir...

Pensé en lo mucho que me apetecía escribir y lo importante que era para mí. Empecé a preguntarme cuál era el motivo de este inesperado bloqueo a la hora de comprar el nuevo curso. La respuesta vino sola: llevaba demasiado tiempo diciendo que quería centrarme, es más, me prometí que no iba a adquirir ningún nuevo compromiso hasta no terminar lo que ya tenía contratado. Por fin sentí que estaba en lo cierto, necesitaba enfocarme y priorizar. Me invadió la sensación de liviandad, como si me hubieran quitado un gran peso de encima.

Volví a contemplar el amanecer, el espectáculo era más hermoso que nunca, como un reflejo de todo lo que sentía en ese momento. Estaba tan feliz que mis ojos se llenaron de lágrimas. En ese mismo momento decidí que iba a escribir este capítulo, cuando las emociones aún estaban a flor de piel. Y algo más, hoy he tenido la maravillosa idea de adjuntar las fotos de este amanecer para que puedas contemplar mi felicidad reflejada en la naturaleza.

https://joannahabiak.com/amanecer/

La historia de hoy es una gran lección.

Cuando nos comprometemos con demasiadas cosas llegamos a agobiarnos, nos sentimos atrapados. Y cuando te sientes de esta manera, lo mejor es parar, alejarse del dilema y reflexionar. Si dudas es por algo, si sientes una especie de freno, cuestiónate. Es mejor no embarcarse en demasiadas aventuras para poder disfrutarlas como se merecen. La vida nos trae muchas oportunidades a diario, pero no todas son aptas en todo momento. Primero lo primero, como se suele decir.

"Tu destino es cumplir aquellas cosas en las que te enfocas más intensamente. Así que elige concentrarte en lo que es realmente magnífico, hermoso, edificante y alegre. Tu vida siempre se está moviendo hacia algo". (Ralph Marston)

Además, hoy entendí que tengo un anclaje muy poderoso: el amanecer en la playa. Cuando mis pies descalzos entran en contacto con el mar y el sol empieza a brotar, me siento libre y me lleno de tanta gratitud y alegría de poder disfrutarlo, que mi energía sube a mil. Para mí la playa al amanecer es el sitio idóneo para reflexionar y tomar decisiones. Me llena de paz, simplemente me hace feliz.

¿Recuerdas cuando te regalé por primera vez el amanecer en la playa?

Tenías unos ocho años, fuimos a ver el amanecer en Burriana. Estaba tan emocionada que apenas podía hablar. En mi opinión es uno de los regalos más hermosos que se puede hacer a un ser amado. Ahí mismo, al terminar de contemplarlo, te dije algo que debes recordar siempre:

"Si algún día no estoy contigo y me necesitas o simplemente me extrañas, ve a la playa al amanecer. En cualquier playa mi alma estará contigo. Cuando el espectáculo termine, cierra los ojos, respira profundamente y siente mi abrazo, fuerte y lleno de amor. Eres la persona más especial en todo el universo y TE AMO CON LOCURA, esté donde esté".

Y sí, has adivinado, estoy hecha un mar de lágrimas, pero me siento muy feliz.

https://youtu.be/7nk9kOCeKdc

En vez de patalear, negocia

"No podemos negociar con aquellos que dicen, lo que es mío es mío y lo que es tuyo es negociable".
(John F. Kennedy)

Imagino que la sensación de impotencia y hacer el ridículo se han apoderado de muchas madres en su carrera de criar a sus hijos, así que como dice el refrán: "Mal de muchos…"

Mi gran virtud siempre fue buscar soluciones diferentes y en muchas ocasiones poco comunes, pero en su gran mayoría me dieron los resultados que esperaba. Y la historia de este capítulo demuestra justo lo dicho.

Era un día otoñal y recuerdo que por aquella época llevaba junto con mi hermana nuestra empresa de eventos. Nos faltaban algunos detalles para uno de los próximos acontecimientos, así que acordamos que aquella tarde cada una se iba a encargar de adelantar su parte.

Ser empresaria no te libera de la función de madre, esposa y otros tantos títulos que nos fueron otorgados a lo largo de la historia, por ello la organización es lo que mejor funciona en estos casos. Mis días solían estar literalmente cronometrados y cuando algo se torcía todo mi plan perfecto se veía arruinado.

Bien, por aquella época tenías unos cuatro años. Mi parada número uno de la famosa tarde era tu cole. Nos pusimos en marcha y mientras nos dirigíamos a Carrefour, para adquirir los detalles que me faltaban, me contabas las cosas emocionantes de tu día.

Todo iba según mi plan perfecto, te advertí que la visita al supermercado era relámpago y no nos íbamos a parar en tus secciones favoritas. Rápidamente encontré la mayoría de las cosas que necesitaba y nos encaminamos a las cajas para pagarlo y fue justo en ese momento cuando se quebró mi plan ideal. En el pasillo de juguetería presenciaste una escena que te chocó: un niño estaba tirado en el suelo pataleando como un poseso y gritando que quería un juguete específico, mientras su madre en plena desesperación se lo consentía.

En este punto cabe añadir que nunca montabas este tipo de escenas, pero por lo visto siempre hay una primera vez…

El proceso que pasó en tu pequeño cerebro duró apenas unos segundos y, en un instante, mi angelito se convirtió en el gemelo de aquel niño, con un pequeño matiz, no te tiraste al suelo, ya que te daban repelús las superficies de sospechoso grado de limpieza.

Hice caso omiso a tus gritos y, cuando viste mi mirada de advertencia, sacaste tu último argumento y de un manotazo tiraste al suelo medio estante de cajas. Sinceramente, no recuerdo qué tumbaste. Desde luego no era nada de cristal, pero ese acto nos confundió a ambos y me llenó de una sensación de profunda vergüenza por tu mal comportamiento. Me sentí frustrada, acababa de reprobar como educadora y no sabía qué tenía que hacer exactamente en aquel momento.

Mis padres eran de la vieja escuela y consideraban que una buena palmada a tiempo es más que educativa. Te juro que estaba tentada de apropiarme de esta vieja herramienta pero, por otro lado no quería por nada del mundo montar más escándalo de lo que ya estaba montado. En un micro instante te fulminé con la mirada, ordené las cajas y, olvidándome de la compra (mi cesta se quedó abandonada por el pasillo), te sujeté la mano y nos dirigimos de manera muy precipitada al coche. La forma de apretarte la mano no dejaba lugar a dudas sobre mi estado de enfado y lo sabías. En el primer instante decidí "cascarte el culo" nada más colocarte dentro del auto, pero el paseo hasta ahí me hizo cambiar de idea. Estabas hecho un mar de lágrimas y no parabas de pedirme perdón entre sollozos.

De repente, tuve una idea iluminadora: decidí enseñarte una herramienta nueva para que pudieras obtener resultados deseados sin montar escenas semejantes.

Algo que te iba a ser útil durante toda tu vida. Entonces, te coloqué en tu silla, me puse al volante y, olvidándome de todo mi plan perfecto, fuimos en silencio a casa. Cuando llegamos, nos pusimos cómodos en el sofá y te dije lo siguiente:

—Cariño, tu comportamiento de hoy fue horrible, me avergonzaste y me hiciste sentir mal. No son formas de pedir las cosas. En esta vida podrás conseguir lo que quieras siempre y cuando sepas cómo hacerlo.

Amor, no sé si lo recuerdas, pero me mirabas con cara de incredulidad, no sé bien si es porque esperabas una reprimenda magistral o porque mis palabras sonaron mágicas para ti. La cuestión es que me prestaste toda tu atención, así que proseguí:

—Para empezar, si quieres conseguir algo tienes que aprender a hablar y vocalizar, porque mientras lloras no se te entiende, y menos yo que soy extranjera. Tienes que hablar alto y claro, ¿entiendes?

Asentiste con tu cara marcada por las lágrimas recientes. Seguí:

—Si quieres conseguir algo debes aprender a negociar.

Me miraste con curiosidad y dijiste:

—¿Qué es negociar, mami?

Me apresuré con la explicación:

—Negociar es llegar a una situación donde ambas partes quedan contentas. Es cuando tú consigues lo que quieres y yo también, ya que no solo tú quieres conseguir algo, ¿entiendes?

Asentiste, pero como eras tan pequeño no estaba segura de si lo hacías para que terminara antes o si de verdad habías captado la idea, así que pasé al ejemplo:

—Pongamos como ejemplo este juguete que querías hoy. La forma correcta sería decirme: "Mamá, me gustaría tener este juguete".

No me dejaste acabar y soltaste:

—¡Me hubieras dicho que no!

Te contemplé con satisfacción. Eras mi pequeña copia.

—Bueno, dije, a partir de ahora si quieres algo me dices que negociemos y así no te contestaré de forma tan directa. Si lo hubieras hecho en la tienda, seguramente te diría lo que yo quiero que hagas para que consigas este juguete. Y puede ser que no fuese de forma inmediata, pero al final tendrías lo que deseabas.

Al día siguiente, a la hora de terminar el cole, estabas ansioso por verme. Nada más me acerqué, me soltaste:

—¡Quiero negociar hoy!

Te miré con incredulidad:

— ¿Tan pronto?, pregunté.

Me contestaste:

—Quiero practicar para ver si lo sé bien.

No me quedó más remedio que poner en práctica la lección que te di apenas un día antes. Y más sabiendo que no ibas a ceder.

Sin esperar mi contestación, me dijiste:

— Mami quiero el juguete que vi ayer.

Levanté los ojos al cielo, conté mentalmente hasta cinco y respondí:

—Tú quieres el juguete y yo quiero que te portes bien durante una semana. Significa que no vas a protestar por cada cosa que te pida y que no vas a pelear con Laura. Tienes que portarte como su primo mayor que eres y no discutir por todo, ¿de acuerdo?

Creo que no esperabas que las negociaciones involucraran esfuerzos de tu parte, por lo que pensaste por un instante antes de decirme:

—¿Si me porto bien y no peleo con Laura, me vas a comprar el juguete?

Te contesté:

—Si lo haces una semana, sí, lo haré.

De repente tu cara se iluminó y anunciaste:

—Pues vamos a comprarlo y si me porto bien, pues ya lo tenemos.

Solté una carcajada pensando en lo buenísimo que eres negociando y, además, siendo principiante. Obviamente te contesté que ni hablar de cumplir mi parte antes de que tú cumplas la tuya. No demasiado satisfecho, tuviste que aceptarlo. Ahora sí, también recuerdo que te portaste fenomenal aquella semana y te regalé aquel juguete soñado, ya que lo importante es estos casos es reforzar el aprendizaje cumpliendo con lo pactado.

Pasaron muchos meses, tal vez un par de años, y un día al regresar a casa de pasar el fin de semana con tu papá me dijiste indignado:

—Mami, ¿cómo es posible que me enseñaras a negociar cuando era pequeño –a tus seis años te considerabas ya muy mayor– y no a papá?

Tu desesperación llegaba al límite, estabas literalmente disgustado. Y es cuando te pregunté:

— Cariño, ¿por qué lo dices?

Me contestaste:

—¿Puedes creer que llevo dos días intentando negociar con papá y no entiende cómo se hace?

¡Aquel día me reí hasta llorar!

Enseñar a negociar a los niños es una de las mejores herramientas para su vida presente y futura porque, como resultado, conseguimos que nuestros hijos se sientan escuchados y entiendan que su opinión y sus sentimientos nos importan. Cierto es que es "un arma de doble filo" y hay que tener mucha destreza, sobre todo cuando los niños son más espabilados que los progenitores. Pero, desde luego, a todos nos gusta saber que nuestras ideas son valiosas, ya que como consecuencia aumentamos nuestra autoestima y reforzamos nuestro carácter.

Sabiendo negociar los niños aprenden también que no son el centro del universo y no siempre pueden conseguir lo que quieren con un chantaje. Aprenden a respetar y a tener en consideración los criterios y las necesidades de los demás.

Cuando educas a tu hijo siendo consciente del esfuerzo necesario para conseguir los objetivos, su etapa de adolescente es mucho más sencilla.

"Negociar es descubrir lo que realmente desea la otra parte
y mostrarle la manera de conseguirlo, mientras que usted
consigue lo que desea".
(Alejandro Hernández)

¿Cómo aprendí a tener paciencia contigo?

"Perder la paciencia es perder la batalla".
(Mahatma Gandhi)

Antes de relatar esta anécdota me gustaría subrayar que no me enorgullece en absoluto tener que recordarla. Sin embargo, considero que es necesario para volver a pedirte perdón y mostrar a todos los que decidan leer este capítulo cómo un niño de tan solo siete años puede dar una gran lección a su madre.

Como ya he dicho, tenías unos siete años recién cumplidos. Desde el principio de la escuela intenté inculcarte el hábito de estudiar paulatinamente y priorizar los deberes ante otras actividades, en la medida que fuera posible, para que sobre todo los fines de semana pudieras terminar las tareas y disfrutar del tiempo de ocio.

Recuerdo perfectamente aquel día: era un sábado por la mañana y daba la casualidad de que estaba en casa y no teníamos que comunicarnos vía *Skype* para estudiar. En esta ocasión nos tocó prepararte para un examen de matemáticas y no lograbas entender cierto contenido... en realidad no querías entenderlo, estabas frustrado porque tenías que dedicar tu tiempo libre a los estudios y para nada te hacía ilusión adquirir más responsabilidades con cada paso en tu vida. Te entendía mejor de lo que imaginas, eres mi espejo y justo por eso deseaba ayudarte de todo corazón para que no cometieras mis mismos errores, no aprendieras a postergar y hacer cosas de forma precipitada, lo que induce siempre a un gran desgaste emocional. Tardé demasiado tiempo en entender y aplicarlo y, como cualquier madre o padre, quería una vida de más calidad para ti. Pero, ¿cómo explicarlo a un niño de siete años? ¿Cómo lo hace una persona que, incluso, era más impaciente que tú?

Llevábamos un buen rato estudiando y repasando el mismo tema una y otra vez. Estabas enfocado en no entender nada, cada vez que cambiaba la forma de explicarte el ejercicio y preguntaba si ahora ya estaba más claro, contestabas con terquedad:

—No, sigo sin entenderlo.

Mi desesperación llegaba a su límite, tenía ganas de sacudirte para que salieras de este estado que me enfurecía, pero decidí intentarlo una vez más. Saqué una hoja nueva, volví a escribir paso a paso la operación acompañándola con los mejores ejemplos que se me ocurrían. Terminé y te miré antes de preguntar. Tú contestaste sin más:

—Sigo sin entenderlo.

Creo que pocas veces he llegado a este estado de furia. Aparté con ímpetu la silla, me levanté y te grité:

—¡Es increíble! ¡Pareces tonto!

No tengo la menor idea de qué pasó por tu cabeza en aquel instante, si fue mi tono de voz o quizás la furia con la que me levanté, pero de repente te encogiste y tus ojos se llenaron de lágrimas. Estabas asustado, es de lo único que estoy segura. Me miraste con tus enormes ojos a punto de llorar y me dijiste:

—Mamá, ¿de verdad para enseñarme tienes que insultarme?

Tus palabras fueron como una descarga eléctrica para mi cerebro, me devolvieron la lucidez en un segundo. Me sentí tan avergonzada que para no llorar en tu presencia salí del salón. Estaba arrepentida y me sentía muy diminuta. Acababas de darme una clase maestra con esta corta edad. Cuando me recompuse, volví y te pedí perdón de corazón y me prometí que nunca más, estuvieras como estuvieras de ánimos para estudiar, iba a perder la paciencia contigo.

La "resaca moral" me duró mucho tiempo y desde entonces pasaron varios años, pero cada vez que recuerdo aquel suceso me invade un sentimiento de vergüenza por no haber sabido comportarme en aquella situación. Eso sí, creo que aprendí la lección con matrícula, porque hace poco mi papá, que es un testigo diario de nuestra historia, me dijo:

—*Es admirable la paciencia que tienes con Daniel para explicarle las cosas.*

Pensé:

—no te gustaría saber cómo lo aprendí…

PERDÓN, AMOR, POR NO SABER HACERLO MEJOR AQUEL DÍA.

Los niños aprenden habitualmente de su entorno, por ello si pretendemos que sean pacientes o que aprendan a esperar, debemos predicar con el ejemplo. Tenemos que entender que el ritmo de un niño poco tiene que ver con el de un adulto. Somos nosotros, que tenemos una infinidad de cosas por hacer, quienes siempre perseguimos el tiempo. Ellos, sin embargo, viven en una realidad diferente. Nuestras prisas no son las suyas y no debemos vaciar en ellos nuestras frustraciones, ya que en la mayoría de los casos no entienden el origen de nuestros enfados y por qué empezamos a gritar sin sentido. Aprender a tener paciencia con nuestros hijos es una gran virtud y una bendición para su desarrollo correcto y su autoestima.

También es necesario subrayar que la capacidad de atención de un niño es mucho más limitada que la de un adulto y, por ese motivo, la técnica de estudiar por bloques cortos es muy beneficiosa para ellos y para el control de nuestra paciencia. Si saben que después de veinticinco minutos de estudiar les toca una pausa de diez o quince minutos, prestan más atención, ya que intuyen que la recompensa está por llegar.

Y, por último, la empatía, por favor: ponte siempre en el lugar de tu hijo, recuerda cómo te sentías cuando te agobiaban con los deberes o los estudios. Hay muy pocos niños felices ante la perspectiva de estudiar o preparase para un examen, así que sé creativo y ayúdale en lugar de ponérselo más difícil. No te olvides de premiar su compromiso y responsabilidad. Una vez terminen de estudiar, juega con ellos, da un paseo o ve una película en familia. Es una gran idea y les endulza el mal trago de tener que hacer cosas que no les ilusionan demasiado.

Para finalizar un consejo que aplico desde aquel suceso tan amargo: cuando te empeñas en poner mi paciencia a prueba, respiro hondo, cuento lentamente hasta diez y me calmo; recobro el control de mis emociones. En los casos extremos hago un una pausa necesaria para ambos. Habitualmente es más efectivo para los dos, porque nos permite reflexionar y empatizar con la otra parte.

"La paciencia no se puede adquirir durante la noche.
Es igual que la construcción de un músculo. Todos los días
hay que trabajar en él".
(Eknath Easwaran)

El miedo tiene ojos muy grandes

"El miedo es mi compañero más fiel, jamás
me ha engañado para irse con otro".
(Woody Allen)

El miedo es una emoción que me ha acompañado toda la vida. En realidad, se podría decir que tengo una extensa colección de miedos. Unos me han paralizado durante bastante tiempo, otros, sin embargo, me han activado para pasar a la acción.

Desde siempre tenía miedo a la soledad y la oscuridad. Cuando me quedaba sola en casa imaginaba cosas terribles, cualquier ruido que no asociaba a nada conocido disparaba películas en mi mente dignas de Hollywood. Será por eso que siempre iba pegada a mi hermano como una lapa.

Pero por lo visto, mi mente necesitaba experimentar más dosis de miedo porque en mi etapa adolescente me volqué por completo en los libros de terror. Estoy segura de que leí más de cincuenta obras de los grandes maestros de este género, hasta que uno me dejó tan marcada que ni pude terminarlo. De esta forma acabé con mi vena masoquista, pero mi imaginación se quedó agitada hasta tal punto que en una ocasión tuve que fugarme de mi propia casa.

Fue en el año 2000 y yo acababa de mudarme a España para emprender mi nueva etapa de vida en este maravilloso lugar. Roberto, mi novio por aquel entonces, pasaba muchísimo tiempo fuera del país, así que me tocaba pasar largas semanas sola. Un país nuevo, una casa nueva y pocos amigos, era un cóctel bastante potente para una "miedica" de mi calibre. Nuestro apartamento tenía varias plantas y estaba ubicado encima de una pizzería, por ello, los ruidos nocturnos eran habituales. Me costó bastantes viajes a la planta baja para acostumbrarme a ellos, porque de forma recurrente necesitaba comprobar que no tenía invitados sorpresa en el salón y que tampoco nadie se estaba instalando en el sofá sin pedir permiso. Llegó un momento en el que tuve que optar o por dormir en la planta baja o cerrar la puerta del dormitorio y fingir que no pasaba nada. Así que una noche opté por la segunda opción y, tras cerrar la puerta y resistir la tentación de asegurarla con una silla, por fin pude dormir. Tenía que estar bastante cansada después de tantas semanas de sueño interrumpido. No me desperté hasta pasadas las ocho y lo recuerdo porque fue el día que batí el récord en asearme, vestirme, hacer la maleta y salir escopetada de mi casa.

¿Por qué? Al despertarme, la puerta de mi dormitorio estaba medio abierta y me asusté tanto que incluso describiendo aquel suceso me entran escalofríos. No entendía cómo pudo abrirse o peor, quién pudo abrirla. No sabía si debía salir, quedarme, empezar a inspeccionar la casa, llamar a la policía o empezar a gritar. Estaba literalmente paralizada. Mi corazón latía a mil y mi cabeza empezó a recuperar los recuerdos de las peores escenas de los libros de terror. Cuando por fin pude pensar con algo de claridad, llamé a mi amiga Celia, que siempre tenía una cama para mí y un Martini preparado para estas ocasiones, y me refugié durante varios días en su casa. Durante muchos meses no logré averiguar qué pasó aquella noche, porque me daba pánico cerrar la puerta, incluso cuando Roberto estaba en casa.

Pero un día no me encontraba bien y me acosté durante el día, cerrando la puerta para no percibir ningún ruido y al levantarme la puerta estaba otra vez medio abierta. Esta vez no estaba sola, así que decidí resolver aquel misterio, por ello, volví a cerrarla y me puse a observar qué pasaba. No tuve que esperar mucho. Al poco tiempo la puerta directamente se abrió sola, así que repetí aquella operación una y otra vez. Al examinar la puerta a fondo averigüé que no cerraba bien y aquel hecho "paranormal" se debía a un desnivel de la casa. Ojalá lo hubiera hecho antes porque cada vez que Roberto salía de viaje me mudaba a casa de Celia.

No todos mis miedos anulaban mi capacidad de pensar de forma lógica. En varias ocasiones logré grandes cosas justo gracias a ellos.

Cuando terminé el segundo año de la universidad, me empeñé en venir un año a España. Mi objetivo era mejorar el idioma, que empecé durante la carrera.

Bueno, mejorar es mucho decir... Por más que en aquel momento me pareciese que mi nivel era medio, tirando a básico, la realidad es que era nulo. Moví cielo y tierra y volví loco a mi papá para que me ayudara a ejecutar el plan. Y lo conseguí, no fue fácil, tuve mucho miedo en varias ocasiones, en algunas incluso hice cosas bastante temerarias, pero las ganas de aprender, superarme y, sobre todo, demostrar que soy capaz de conseguirlo eran siempre más fuertes.

Me pasó algo similar cuando decidí dejar mi trabajo bien remunerado y ponerme a trabajar por mi cuenta. Y armada con mi instinto para elegir momentos oportunos, justo elegí una de las épocas más complicadas. Pero entre el temor, las lágrimas y mucho esfuerzo, por fin lo logré, porque el miedo a no verte crecer y no poder ayudarte cuando lo necesitabas era mucho más grande.

Tú también pasaste etapas de mucho miedo, solías tener pesadillas y te daba terror dormir solo.

¿Cómo lo superamos? Mi amiga Celia nos prestó un libro titulado *Duérmete niño*, que llevaba una buena colección de cuentos mezclados con técnicas de meditación. Adorabas aquellas historias y las llamabas *El cuento de la estrellita*. Al final hice mi propia versión del cuento y se convirtió en nuestro ritual de cada noche, incluso cuando estaba de viaje.

¿Recuerdas amor? No nos saltamos ni un solo día. Si no estaba en casa y no podía llamarte por *Skype*, lo hacíamos vía teléfono y finalmente este cuento se convirtió en tu anclaje para dormir tranquilo toda la noche.

https://joannahabiak.com/cuento-de-la-estrellita/

¿Quién no ha tenido miedo durante su vida? Es parte de nuestra existencia y en múltiples ocasiones nos ha ayudado a sobrevivir. Sin este tipo de emociones haríamos la gran mayoría de las cosas de forma temeraria, ya que nadie pensaría en las consecuencias.

Cabe añadir que los miedos no son iguales a lo largo de nuestro camino, evolucionan con nosotros y, por consiguiente, nos volvemos grandes coleccionistas, expertos de una larga lista de miedos. Por ejemplo, los que han sufrido por amor, tienen miedo a enamorarse. Los que temen las consecuencias tienen miedo a decir la verdad. Hay quien tiene miedo a triunfar por el esfuerzo que supone o miedo a ser rechazado si no se adapta a las reglas de su círculo.

Pero parece que hay gente que tiene bastante menos miedo que otra, es más atrevida, tiene más valor. Y hay otra, cuya baja autoestima hace sus miedos muy grandes. Este fenómeno lo explica muy bien mi mentor, Jürgen Klarić, quien dice que no todos tratamos nuestros miedos de la misma manera. La gran mayoría opta por ignorarlos, consiguiendo un resultado nefasto, porque gastan mucha energía remando contra la corriente. Hay quien decide luchar contra sus miedos y aquí el resultado es incluso peor, pues pasar la vida luchando es muy destructivo para el cuerpo y para la mente. Por ello la manera más inteligente, y a su vez óptima para nuestro bienestar, es aceptar nuestros miedos y aprender a convivir con ellos.

¿Y cuál es la mejor manera para encajar tus miedos?

¿Qué debemos hacer para convertir el miedo que nos paraliza o distrae en un miedo que nos moviliza a la acción? La respuesta es más simple de lo que podemos imaginar. Consiste en encontrar otro miedo mucho más grande. Yo, por ejemplo, tenía mucho miedo a escribir este libro y publicarlo, me paralizaba la idea de ser rechazada, de no encontrar mi público, pero encontré un miedo mucho más grande. Me di cuenta de que tenía mucho más miedo a no ser un ejemplo para ti, a defraudar tu fe en mis capacidades y a no volver a escuchar nunca más que soy tu ídolo.

https://youtu.be/Co2wyONXpz4

Si esperas nuevos resultados, cambia tus hábitos

"Si buscas resultados distintos, no hagas
siempre lo mismo".
(Albert Einstein)

Desde pequeño fuiste un niño que no daba problemas con la comida. Literalmente la disfrutabas desde tu primer biberón (que tuve que darte porque no tenía la subida de leche nada más dar a luz, y tú desesperado por comer, dejaste mis pezones en sangre viva). Tú llorabas porque tenías hambre y yo lloraba de dolor cada vez que veía tu carita de esperanza al tomar la teta, mientras lo intentábamos una y otra vez. Por fin apareció un pediatra "humano" y en vez de mortificarnos a los dos, mandó prepararte un biberón como es debido. Así terminamos con el sufrimiento de ambos.

Con el paso de los años nada cambió. Te volviste un sibarita con apenas tres o cuatro años, capaz de apreciar un buen jamón de bellota o un *foie* de calidad. Recuerdo un cumpleaños de uno de tus compañeros del cole, cuando una señora se te acercó, atraída por tu color de ojos, y te pregunto:

—¿Qué le apetece comer a este niño tan guapo?

Y contestaste sin pestañear:

—Unas tostadas con *micuit.*

La pobre señora puso cara de no entender nada y tuvimos que darle una pequeña explicación sobre aquel manjar de la cocina francesa.

La cuestión es que todo lo que comías te sentaba muy bien y yo, consciente de tu condición renal, siempre padecía por si excedías el peso marcado por tu nefróloga.

Ahora entiendo que al final en la vida atraemos todo aquello en lo que nos enfocamos, pero en aquel momento mis conocimientos de las leyes universales aplicables a nuestra vida eran más bien escasos.

Antes de cumplir los siete años tocaste aquel límite de peso prohibido y en una de las revisiones el médico me dio un serio toque de atención. Era muy complicado explicarte que teníamos que ponerte a régimen y, la verdad, te entendía mejor de lo que pudieras imaginar. Yo también fui siempre una niña de buen comer y comparada con mis hermanos, tan esbeltos, era más bien gordita. Aún recuerdo cuando mi mamá les ofrecía un delicioso cacao (en la Polonia comunista era imposible conseguir en las tiendas normales los inventos de los países capitalistas) y yo me tenía que conformar con un triste té. Como era pequeña no entendía que mi mamá lo hacía por mi bien, ya que quería verme perfecta en todos los sentidos. Por ello, me dolía mucho cuando te veía llorar porque no entendías cómo era posible que otros niños comiesen lo que quisieran y no engordasen y, sin embargo, tú siempre tan implicado en los deportes, tenías que cuidar mucho la alimentación. Por suerte siempre fuiste un niño obediente y aunque *a priori* oponías resistencia, acababas por dejarte convencer. Para que no lo tomaras como un castigo decidí cambiar los hábitos de alimentación de toda la familia y simplemente adaptarlos a un nuevo estilo de nuestra vida. La peor fue la primera semana, pero cuando empezaste a ver los resultados, la nueva dieta familiar dejó de pesarte tanto. Hasta que un día te compré ropa nueva: unos pantalones chinos rojos y unas camisetas del mundial. Cuando te viste tan cambiado y con 7 kg menos tu cara de felicidad y satisfacción fue el mejor regalo para todos. Fue cuando entendiste que puedes conseguirlo, pero debes actuar de forma diferente, hacer algún cambio; en este caso cambiar la alimentación o hacer un esfuerzo extra cuando quieras cometer un exceso.

Seguramente recuerdas el crucero que hicimos con Jesús después de tu primera comunión, ¿verdad? Yo me pasé la mayor parte del viaje preocupada por la comida poco saludable que nos ofrecían en aquel maravilloso barco. Por esta causa no solo os obligaba a caminar por todos los lugares que visitábamos cada vez que bajábamos del barco, sino que también os exigía utilizar las escaleras en vez del ascensor cada vez que subíamos o bajábamos para lo que fuese. Tanto fue así que un día me dijiste:

—Mamá la gente piensa que somos paletos y no sabemos qué es un ascensor !

Hasta el día de hoy te mantienes muy bien y ya no hace falta controlarte, lo haces solo. Aprendiste que cuando haces algún exceso, después aplicas de forma más estricta lo que ya te funcionó en el pasado.

Me siento muy orgullosa de ti, y de lo responsable y capaz que eres.

Aunque no nos damos cuenta, nuestra vida está controlada por hábitos, tanto positivos como negativos. ¿Cuántas veces nos quejamos de no cumplir nuestros sueños o estamos descontentos con los resultados, pero no somos capaces de hacer el más pequeño cambio porque nos obliga a movernos de nuestra zona de confort? Personalmente me hace mucha gracia cuando la gente dice que tengo mucha suerte de mantenerme en forma. Será que no me conocieron de pequeña, o no saben la disciplina que a diario me aplico.

Que sepas, que como todo el mundo, muchos días yo quisiera quedarme en la cama en vez de salir a correr o caminar, preparar la comida sin pensar los alimentos o permitirme excesos sin sufrir sus consecuencias.

Pero los resultados no son mágicos, son los efectos de nuestras acciones diarias, acumuladas durante años. Aristóteles decía que: "Somos lo que hacemos día a día". Y esta es la pura verdad. Si queremos obtener resultados diferentes a los que cosechamos en este momento, tenemos que emprender acciones diferentes. De esta manera educamos a nuestro cerebro, que obviamente no está nada contento porque le obligamos a gastar mucha energía en lugar de recurrir a los esquemas ya conocidos. En la vida, el ser humano emprende acciones solo por dos motivos: dolor o placer. Habitualmente lo hace buscando una recompensa ante un estímulo. Un ejemplo sencillo es comer dulces cuando estamos tristes o ansiosos, fumar un cigarro porque nos da sensación de paz o beber porque nos hace olvidar los problemas. Y justo esta es la gran trampa de los hábitos. Son las acciones repetidas y reforzadas por la inmediata recompensa que busca nuestro cerebro. Y no es que ignoremos los malos hábitos que tenemos, sino que simplemente somos muy complacientes con nosotros mismos y nos excusamos con mucha facilidad. ¿Quién no ha utilizado en su vida estas famosas frases: "de vez en cuando no hace daño" u "hoy es el último día y a partir de mañana cambio"?

El problema es que muchas veces el "de vez en cuando" es un día sí y otro también y "el mañana" nunca llega.

Entonces, si queremos cambiar un hábito negativo antes que nada tenemos que identificarlo con toda honestidad y sopesar todo lo malo que nos va a traer si seguimos haciéndolo, al igual que todos los beneficios que obtendremos al cambiarlo.

El siguiente paso consiste en encontrar en nosotros la fuerza de voluntad, el deseo de luchar contra nuestro cerebro que se va a resistir ante un inminente desgaste de energía. La mejor palabra para construir nuestra fuerza de voluntad es "ya". Y al final tenemos que encontrar las herramientas para llevar a cabo esta acción. Lo más recomendable es definir una nueva conducta que va a suplir el antiguo hábito, de lo contrario el cerebro, buscando la recompensa, nos regresará a lo conocido. Además, debemos identificar qué tipo de premio está buscando nuestro cerebro en cada situación, para poder dárselo con otro hábito positivo. Por ejemplo, en el caso de necesitar satisfacer la ansiedad con los dulces, podemos hacerlo con una fruta dulce. Y, por último, para crear un nuevo aprendizaje debemos ser constantes en la repetición de un nuevo hábito o buscar una impronta que nos ayude a aprender con la intensidad y emoción necesaria para grabarlo en el cerebro. Al final conseguiremos ejercer el hábito adquirido de manera automática, eso indicará que se ha adueñado de nosotros.

El camino de pequeños pasos también te lleva a la excelencia

"Un viaje de mil millas comienza
con un primer paso".
(Lao - Tse)

Llevaba un tiempo intentando responderme la pregunta que me planteé hace ya varios días: ¿Cómo conseguir que te sientas motivado para alcanzar un objetivo sin que te resulte agobiante? Esta pregunta apareció cuando un día intenté despertar en ti la determinación para volver a los ejercicios matutinos, tal y como lo hacíamos en la cuarentena, y tú me soltaste: "Mamá no soy tan perfecto como tú, no tengo tiempo porque tengo mucho que estudiar y estoy dándolo todo en los entrenamientos". Y no solo me sentí mal por eso, porque para nada me considero perfecta, más bien constante y disciplinada, sino también porque seguidamente te tiraste más de diez minutos con tu móvil. Así que me pregunté, ¿qué otra fórmula hay además del camino de la innovación, un camino demasiado radical para muchas personas, donde surgen nuestros temores de fracaso? ¿Cuál es el método para, sin sufrir, conseguir las metas y, a la vez, instalar un nuevo hábito? Y aunque suene repetitivo, el universo intervino, esta vez, con una solución en forma de libro de Robert Maurer: *Un pequeño paso puede cambiar tu vida*. Lo leí maravillada, porque me daba la fórmula perfecta para ti, llamada *EL METODO KAIZEN*. El autor lo define de dos maneras:

- Uso de pasos muy pequeños para mejorar un hábito, un proceso o un producto.
- Uso de momentos muy pequeños para inspirar nuevos productos o inventos.

Robert Maurer está convencido de que este método es el único que funciona cuando todas las demás estrategias fallan. En su libro propone seis estrategias para alcanzar metas y adoptar nuevos hábitos. De las seis estrategias, las tres primeras son las que me han funcionado:

- Plantearse de forma frecuente preguntas pequeñas y positivas que ayudan a programar nuestro cerebro. Al ser pequeñas no nos inducen miedo y, por lo tanto, nuestro cerebro no se pone en estado de alarma. Ejemplo, ¿cuál es el paso más pequeño que puedo hacer para tener el cuerpo tonificado? ¿Cuál es el paso más pequeño para reducir mi deuda de la tarjeta de crédito?

- Implementar acciones pequeñas que surgen a partir de nuestras preguntas y son su consecuencia natural. Además, nos ayudan a instalar nuevos hábitos de manera poco invasiva. Estas acciones engañan al cerebro y evitan que piense que va a gastar demasiada energía, cosa que no le gusta en absoluto. Un buen ejemplo de una acción pequeña es empezar el ejercicio diario durante pocos minutos o incluso segundos, aumentándolo un porcentaje cada día. Al cabo de un tiempo el resultado es impresionante.

- Modelar la mente, técnica que implica la simulación mental de una acción implicando todos los sentidos (visual, auditivo, kinestésico, olfativo, gustativo). En estas visualizaciones hay que imaginarse hasta los más pequeños detalles, como el movimiento de nuestros músculos o los altibajos emocionales. Este método puede ayudar a conseguir metas muy difíciles, como participar en distintas competiciones, hablar en público, etc. Es una técnica utilizada por varios deportistas de élite. Te la conté muy ilusionada hace un par de días y te pedí que la aplicaras a diario. La expresión de tu cara era fácil de interpretar: "Uf, otro invento de mi madre…". Por ello, rápidamente te conté la historia de Michael Phelps que Robert Maurer comparte en su libro y que demuestra que esta práctica le dio unos resultados espectaculares. Y cuál ha sido mi sorpresa cuando al llegar hoy del partido me has dicho:
—Mamá, hoy he marcado un gol y lo increíble es que fue muy similar al que practiqué en mi visualización.

- Resolver problemas pequeños y manejables, que nos ayuda a evitar llegar a los problemas de mayor calibre, pero que en muchas ocasiones evitamos solucionar justo porque nos parecen insignificantes.

- Motivarse con premios pequeños, ya que nos anima a seguir adelante.

- Reconocer los momentos pequeños pero importantes que otros ignoran. Si tenemos suficiente dosis de respeto, creatividad y curiosidad, podemos encontrar en los pequeños momentos soluciones revolucionarias.

https://joannahabiak.com/objetivo-smart/

Si te caes, te levantas,
te sacudes y sigues

"El fracaso es solo la oportunidad de
comenzar de nuevo de forma más inteligente".
(Henry Ford)

Yo soy de las personas que, al igual que Tony Robbins, piensa que no existe el fracaso, tan solo existen los resultados, que posteriormente hay que analizar para extraer un aprendizaje.

Un año después de que nacieras, en 2007, decidí abandonar mi trabajo estable y, junto con mi hermana, inicié un emprendimiento con todo el esfuerzo e ilusión. Así nació *Carpe Diem gestión de eventos*. Todos los vientos parecían soplar a nuestro favor, ambas hicimos el máster en Protocolo y Gestión de Eventos, teníamos la experiencia necesaria de varios años y una larga lista de contactos de un alto poder adquisitivo.

Apostamos por la excelencia y los resultados gustaron a los primeros clientes. La empresa crecía y con ella nuestras ganas de más. Empujadas por la emoción de éxito, hicimos algunas inversiones esperando unos magníficos resultados a corto plazo. Nadie se esperaba lo que sucedió en España apenas un año más tarde. Al regresar de vacaciones, en septiembre de 2008, la gran mayoría de empresas cerraron o se vieron involucradas en una larga crisis. Solo pudimos aguantar hasta final del mismo año y después nos vimos obligadas a tomar una de las decisiones más trascendentes para ambas: bajar el nivel de los servicios y adaptarnos a un nuevo mercado o cerrar. No fue nada fácil decidir en aquellas circunstancias, pero, a pesar de que ninguna deseaba tirar la toalla, finiquitamos la empresa. Analizando aquella elección después de los años, creo que acertamos. Primero porque la crisis duró demasiados años y son pocos los que se recuperaron. Además, renunciar a la excelencia hubiera sido muy destructivo para el alma de nuestro proyecto.

Me costó un poco sacudirme de aquella derrota, pero viendo que el mercado de España no arrancaba, me vi inmersa en una nueva misión. Gracias a uno de mis contactos tuve la oportunidad de explorar el mercado de África subsahariana. Por lo visto, me gustan las emociones fuertes. En poco tiempo recopilé todas las ofertas posibles de los productos de consumo primario, encontré una parte en Polonia y la otra procedía de España. Estaba lista para volver a triunfar. Pero aun siendo experta en comercio internacional no me percaté de algo que hoy en día se tiene muy en cuenta: mi *avatar*, mi cliente ideal. Desconocía aquella cultura, no entendía su manera de pensar y menos de hacer negocios. El resultado fue nefasto, dinero gastado en el viaje, nulas posibilidades de negocio y un mal sabor de boca después de pasar demasiado tiempo en un ambiente racista y sexista.

Justo después vino el divorcio de tu papá y la necesidad de empezar a ganar dinero como fuera. Aquella época fue muy dura, yo no tenía muy claro si quería meterme en el sector del azulejo para viajar la mitad del año, especialmente teniendo en cuenta que eras muy pequeño, pero era la mejor vía para ganar un sueldo digno. Así que empecé mi carrera en el sector más codiciado de esta parte de España.

En aquella época conocí a un ser maravilloso, Rima, que se convirtió en mi amiga incondicional, a pesar de que el entorno no daba ni un duro por nuestro equipo. Poco a poco levantaba la cabeza y conseguía todos los objetivos que me ponían, llevando cada vez nuevos mercados y más presupuestos. Cuando ya estaba bien considerada en este mundillo apareció en mi camino una persona que agitó de nuevo mi *statu quo*. Durante uno de mis viajes a Polonia conocí a Joanna, que hoy es mi socia, amiga y un gran apoyo en todo lo que hago. Le llevó un par de años convencerme de que debía tener mi propia empresa, pero al final lo consiguió y en septiembre de 2015 empecé a trabajar por mi cuenta.

No voy a decir que todo fue maravilloso, pero poco a poco las cosas empezaron a materializarse. Por fin pude comprar y reformar la casa que tanto anhelábamos en un lugar privilegiado. Paso a paso iba realizando mi plan.

Todo parecía llevar un rumbo perfecto hasta que al principio de este año llegó la pandemia. Pensándolo bien, mi vida hasta el momento parece una atracción de feria, una vez estoy arriba y otra abajo.

Como el COVID limitó los viajes del sector y los nervios me jugaban una mala pasada, decidí concentrarme en el desarrollo de mi SER, por ello empecé a estudiar *coaching*, que al final me llevó a escribir este libro.

Y llegados a este punto solo puedo decir que cada etapa de mi vida me ha dejado un valioso legado. Llegué a conocer gente maravillosa, lugares increíbles y aprender cosas que han forjado mi personalidad. Por ello agradezco a diario cada una de mis vivencias y todas las personas geniales que me acompañan en mi camino. Sin todas ellas no sería quien soy ahora.

El fracaso forma parte de nuestro aprendizaje. Es como aprender a caminar, tienes que caerte varias veces antes de plantar tus pies con firmeza. Y como decía *Rick Warren*: "Si no estás cometiendo ningún error, no estas innovando. Si estás cometiendo los mismos errores, no estás aprendiendo".

Este verano, antes de terminar el *Year 9*, tenías que elegir dos asignaturas optativas para el año siguiente. Hablamos bastante sobre ello y finalmente decidiste continuar con educación física y arte. No lo tenía muy claro, pero acepté y apoyé tu elección. Entiendo que tienes que aprender a tomar tus decisiones para saber quién eres. Cuando empezó el curso, después de la primera clase de arte, llegaste muy disgustado a casa y dijiste:

—Mamá, me he equivocado, el arte no es lo mío, quiero cambiar por *business*.

Estaba a punto de darte una buena charla, sobre todo después de haber intentado mostrarte los pros y los contras de todas las posibilidades, pero al final cambié de decisión. Tan solo me limité a preguntar:

—Amor, ¿estás seguro de este cambio? *Business* es una asignatura bastante distinta del arte, ¿lo sabes?

—Si, mamá, contestaste.

Así que te dije:

—Está bien, en esta vida para aprender cometemos errores, ahora sí, fallamos en lo mismo una sola vez, porque si tropezamos dos veces con la misma piedra es porque no hemos aprendido la lección. Quiero que te tomes tu tiempo y reflexiones si realmente quieres cambiar de asignatura. Mañana me dices qué has decidido y actuamos en consecuencia.

Finalmente te cambié a *business*, tal y como me lo pediste. Mi planteamiento fue muy sencillo. Si me hubiera puesto en plan madre que sermonea, seguramente te hubiera improntado de tal manera que, en un futuro, tomar decisiones significaría para ti sufrimiento y decepciones. No es el camino que deseo para ti. Una persona que nunca ha cometido ningún error no tiene una percepción realista de la vida.

Fracasar es parte del éxito, todos los que han triunfado en esta vida han pasado por el fracaso y, en lugar de derrumbarse, aprendieron y mejoraron sus estrategias. Por ello, es tan importante enseñar a nuestros hijos a afrontar el fracaso como algo natural, es la única manera para preservar su autoestima y lograr que sean felices a pesar de las circunstancias.

Obviamente cuando fallamos nos sentimos muy mal, por ello es importante exteriorizar nuestros sentimientos. Eso nos ayuda a curar las heridas de manera más rápida.

Algo que también puede contribuir es plantearnos las siguientes preguntas en este tipo de situaciones:

—¿Qué he aprendido de esta situación?

—¿En qué puedo mejorar la próxima vez?

Y, por último, no hay que tener en cuenta las opiniones de los demás, las críticas ajenas no deberían afectarnos. Si haces caso a las opiniones de otros, te vas a paralizar en tu camino. Solo importa lo que tú piensas al respecto, porque fracasar significa vivir.

"Solo el que no hace nada no se equivoca".
(Paulo Coelho)

https://youtu.be/n9deZVnMF6o

Viajar puede ser educativo

"Viajar es vivir".
(Hans Christian Andersen)

Cuando cumpliste ocho años decidí organizar tu primer gran viaje. Mi elección fue Portugal. Estaba muy emocionada planificando la ruta y los detalles. Cada día compartía contigo mis planes y descubrimientos. No entendía por qué en vez de estar feliz estabas cada vez más enfadado e impaciente. No veías el momento de empezar aquellas vacaciones tan soñadas por todos. Y es cuando tuve una idea reveladora. Olvidé lo que había organizado hasta el momento y decidí involucrarte en todo el proceso. De esta manera creamos nuestro primer álbum de viajes y recuerdos.

Conforme íbamos mirando y decidiendo cosas conjuntamente, se me ocurrió aprovechar la experiencia para enseñarte algo de geografía. Así que en la primera página de nuestro álbum dibujaste el mapa de Portugal e indicaste las principales ciudades que decidimos visitar durante las vacaciones. Dedicábamos cada rato libre a buscar información sobre este país tan fascinante, su cultura, la cocina y las costumbres. Es así como descubrimos un impresionante parque acuático en el Algarve donde pudiste nadar con los delfines. ¿Te acuerdas?

También, gracias a la insistencia de Jesús, encontramos una larga lista de playas maravillosas donde se podía practicar *bodyboard*. Finalmente, elegimos el hotel para pasar las noches en Porto y los apartamentos para la estancia en Lisboa y Algarve. Preparamos todo con mucho esmero y cuando empezaron las vacaciones, pudimos emprender aquel viaje tan esperado. Recuerdo que al principio pensamos en coleccionar las fotos, entradas y postales para posteriormente pegarlos en el álbum, pero al experimentar tantas cosas nuevas y tener tantas anécdotas, íbamos cumplimentándolo noche tras noche. Entre los cuatro, tío Jarek, Jesús, tú y yo llenamos el viaje de risas, memorias y fotos pintorescas 😊 (a propósito, he utilizado esta palabra que incluí en mi diccionario justo durante aquel viaje).

Desde aquel año ya ha pasado algo de tiempo y cuando recientemente estuviste aprendiendo países y capitales para el examen de geografía, descubrí, con gran satisfacción, que te acuerdas de absolutamente todo. Fue muy gratificante. Merecieron la pena todas aquellas noches cuando agotados de todo el día, hacíamos el último esfuerzo por rellenar nuestro álbum, temiendo que si lo dejábamos para más adelante se nos escaparían algunos detalles de importancia.

Repetimos aquel ritual cada año mientras viajábamos y gracias a ello tienes un maravilloso regalo que puedes rememorar en cualquier momento.

Contar con los hijos para preparar un viaje no solo les estimula para averiguar la gran cantidad de cosas sobre el destino, también les permite sentirse partícipes de los acontecimientos importantes en la familia. En nuestro caso nos ayudó mucho a elegir cosas de interés para todos, tener ideas sobre las costumbres básicas, aprender las frases de importancia o simplemente averiguar qué debemos probar en cada uno de los lugares que visitamos. Además, es una manera muy buena de desarrollar la creatividad en los hijos y fomentar las ganas de trabajo en equipo.

Para nosotros fue maravilloso sentarnos cada noche, recopilar las historias y anécdotas del día, para posteriormente plasmar todo en nuestro álbum.

Recuerdo nuestra famosa visita a Roma durante el crucero, ¿te acuerdas? En aquel viaje decidimos hacer todas las excursiones por nuestra cuenta y así administrar a nuestro gusto el tiempo. Bajamos aquella mañana en Civitavecchia y, como la gran mayoría de los turistas, nos dirigimos a la estación del tren. Estaba repleta de gente, unas colas interminables y demasiado lentas para llegar, visitar y regresar a tiempo. Es cuando vi las máquinas de los billetes y no entendía por qué nadie las utilizaba. Os llamé para no perder el tiempo y, cuando terminaron los señores que estaban delante de nosotros, nos pusimos a sacar nuestros pasajes. Era muy simple, marcamos la estación de partida y otra de llegada, pasamos la tarjeta y la máquina empezó a escupir una gran cantidad de cartulinas, en total doce. La cara de incredulidad de Jesús era un poema:

—¡Ya nos engañaron! —gritó— acabamos de pagar por nuestros billetes y los de los señores que compraron antes que nosotros, —añadió con cara de espanto.

— Bueno, estas cosas pasan —recapitulé y nos montamos en el tren.

La visita en la Ciudad Eterna fue un éxito, en apenas cuatro horas pudimos caminar hacia todos los lugares más emblemáticos, sacar fotos y comer lasagna en la Piazza Navona. Si tuviésemos que poner alguna pega a aquella excursión sería la falta de una bonita foto en la Fontana di Trevi, que justo aquel verano estaba en obras.

Finalmente, muy cansados, pero muy contentos, nos presentamos en la estación de tren a la hora que indicaba uno de los billetes, clasificados como el nuestro. Ya dentro del tren anunciaron el control de los *tickets* y el conductor al revisarlos nos indicó amablemente que la siguiente parada era la nuestra.

—Imposible —dije en mi italiano precario— compramos billetes hasta Civitavecchia —añadí.

Los volvió a revisar y negó de nuevo.

—La siguiente parada es la vuestra.

Es cuando Jesús se percató de que algo no cuadraba. Sacó los pasajes restantes y los tendió al conductor. Aquel nos miró con cara como diciendo, "turistas tenían que ser", y nos explicó en su español malo que efectivamente compramos pasajes hasta Civitavecchia, pero cambiando de tren dos veces. No pudimos creerlo, no nos engañaron, tan solo no supimos leer bien la pantalla y no elegimos los billetes con trayecto directo. Aquella fue la anécdota del día. Aprendimos algo nuevo y cada vez que lo recordábamos nos reíamos hasta llorar imitando la exclamación de Jesús: "¡Nos engañaron!".

https://joannahabiak.com/viaje-portugal-2014

Todos los excesos son malos

"La pérdida de las energías es más a
menudo causada por los excesos de la
juventud que por los años".
(Cicerón)

Estaba cursando el último año de la universidad y compaginaba los estudios
con el trabajo. No era mi primer trabajo, pero por primera vez tenía un cargo
relacionado con mi carrera profesional. La verdad, me sentía muy realizada y
cada vez me confiaban más cosas.

Un día, mi jefe me pidió hacer de traductora para uno de los principales
clientes de nuestra empresa. "Mega oportunidad para enseñar que soy capaz
de armonizar muchas tareas", pensé y lo acepté sin tan siquiera reflexionar que
tenía que estar presente el día siguiente por la mañana en la capital. No es que
fuera una distancia enorme, apenas 350 km, pero teniendo en cuenta que en la
Polonia de aquella época no teníamos autopista, el camino duraba mínimo seis
horas. Así que me levanté a las 2 am para salir a las 3 am como tarde. Conducir
de ida me resultó bastante llevadero y en seis horas justas estaba entrando a
Varsovia. Me faltaban apenas 15 minutos para empezar la reunión. Iba bastante
nerviosa por el constante caos en aquella ciudad, cuando de repente un camionero empezó a pitarme y señalar algo por la ventana. "Menudo imbécil", solté
para mis adentros, "tengo prisa y el tipo tiene ganas de tocar las narices".

No entendía por qué me costaba tanto hacer las maniobras, era como
conducir con el freno puesto. El camionero no se daba por vencido, así que
comprobé las luces y, al no ver aparentemente nada raro, decidí aparcar en
cualquier sitio para averiguar de dónde venía la insistencia de aquel pesado.
Dio la casualidad que aparqué en la puerta de una embajada y antes de que

el vigilante se percatara, bajé del coche y lo entendí todo. La rueda estaba pinchada y además maltratada, por ello me costaba tanto conducir. Miré el reloj, ya no me quedaba tiempo de maniobra. Desesperadamente me puse a buscar ayuda, porque para mí el cambio de la rueda era algo inalcanzable. Estaba intentando parar a algún coche y a la vez marcar el número de nuestro cliente cuando un grito me devolvió a la tierra:

—Váyase inmediatamente de aquí, de lo contrario llamo a la policía. ¡Estamos a punto de recibir la visita de unos empresarios muy importantes! ¡Está obstaculizando la entrada!, —voceaba el individuo—.

—¡Haga lo que tenga que hacer! —contesté visiblemente irritada— ¿no ve que he pinchado? ¿Cómo demonios pretende que conduzca?

En este momento me iluminé:

—Si me cambia la rueda me iré de aquí encantada, —le sugerí—.

El hombre me estaba mirando con cara de incredulidad:

—A mí no me contratan para cambiar las ruedas, —dijo indignado—.

—Pues nada, aquí me quedo hasta que alguien decida ayudarme, —solté desafiante, aunque por dentro estaba a punto de romper a llorar—.

No sé si el hombre se apiadó de mí o simplemente temía perder su trabajo, la cuestión es que se quitó la chaqueta y en un instante cambió la rueda de mi coche. Muy agradecida, pero cada vez más estresada, me marché para la reunión. Tuve mucha suerte porque el invitado de nuestro cliente se retrasó media hora, así que prácticamente llegamos a la vez.

El día transcurrió tal y como lo esperaba, hice mi trabajo lo mejor que pude y como agradecimiento el cliente me invitó a comer. Sobre las 18 horas, cansada, pero muy satisfecha, emprendí el camino de regreso a mi cuidad: a las 8 de mañana tenía que estar en la oficina. La capital estaba bastante colapsada a esas horas y tardé más de lo previsto en llegar a la carretera de salida de Varsovia.

Llevaba un buen rato conduciendo, pero aún me quedaba mucho camino. El cansancio se iba apoderando de mí, así que utilicé todos los recursos conocidos; puse la radio a todo volumen, canté y mastiqué varios chicles. Era de noche y me di cuenta de que tuve que quedarme dormida al volante por un breve instante. Me asusté mucho, pero en vez de parar, me coloqué derecha en el asiento, bebí un trago de agua y seguí el camino. "No quiero parar", pensé, "aún tengo que revisar los apuntes que me prestó mi compañera, llevo muy centrada en el trabajo y parece que presto menos atención a los estudios". Eso creo que fue lo que pensé antes de quedarme dormida. Un enorme pitido me sacó de aquel estado, pude enderezar el coche en el último momento antes de salir de la carretera. Estaba literalmente sudada de miedo. Paré en la primera gasolinera, bajé del coche e intenté recobrar la respiración. El corazón me latía a mil. "Me pude haber matado", pensé, "¡o incluso matar a alguien!". Fui al baño a asearme, me lavé la cara y finalmente compré un té e intenté tranquilizarme. "No puedo ser perfecta en todo, no puedo decir sí a todo", decidí, "solo tengo dos manos y no puedo hacer más de la cuenta", añadí para mí. "Mañana sin falta hablo con mi jefe y pido el día libre ya que este esfuerzo es inhumano". Con este pensamiento abandoné la cafetería y me coloqué en el asiento. Estaba demasiado conmocionada para poder dormir así que decidí conducir de forma muy prudente hasta donde mi cuerpo aguantara. El resto del camino pasó sin ningún incidente más y sobre las 4 am crucé la puerta de la residencia de estudiantes, mi hogar en aquel momento. Dormí escasas tres horas y a las ocho estaba entrando a la oficina donde mi jefe me recibió con estas palabras:

"Mujer tenías que ser, yo en tu lugar hoy me hubiera quedado en casa".

Me sentí fatal, entendí que nadie me exige más que yo misma. Juré aprender la lección, pero por el camino se me olvidó, porque aún recuerdo cuando muchos años después me empeñé en viajar a la feria de Moscú con neumonía, solo porque todo estaba pagado y los que me acompañaban no hablaban ruso, ni podían encontrarse solos en una feria preparada por mí. Esto es exactamente lo que pensaba en aquella época, excusas y más excusas, me gustaba sentirme imprescindible, incluso jugando con mi salud.

Recuerdo que antes del viaje pedí a mi hermana que me llevara al hospital porque me encontraba francamente mal, con más de 40° de fiebre (cabe añadir que nunca voy al médico por mi propia voluntad). Cuando estábamos en la consulta, Julia pidió al médico que no solo me sacara las placas de los pulmones, sino además que me revisara la cabeza 😎. Amor de hermana.

Al final me subí en el vuelo sin prestar atención a las protestas de todos. Entre la tos y la fiebre casi me desmayé al bajar del avión y no tuve más remedio que quedarme un día entero en la cama. Creo que por fin aprendí o eso me parecía.

No todo eran excesos en los trabajos, alguna que otra vez me pasé de copas y lo pagué con una enorme jaqueca al día siguiente. Pero la vez que tomé consciencia fue durante el cumpleaños de una compañera del trabajo. Le organicé una cena sorpresa y después fuimos a bailar. Cenamos con vino y bailamos con *gin tonic*, claro está. El lugar de la celebración estaba a unos 25 minutos de mi casa, así que sobre la medianoche decidí que ya no bebería más para poder irme a casa a las 3 am. Me sentía muy bien, por ello decidí conducir en vez de llamar al taxi. Y la verdad todo iba perfecto hasta que llegando a casa me paró el control de alcoholemia que organizaban los fines de semana. El policía comprobó cuatro veces el resultado del aparato porque decía que jamás vio a nadie con tanto alcohol en el cuerpo y negociando de una forma tan coherente y hábil. Finalmente me hicieron aparcar y llamar al taxi, más cuatro puntos y 500 euros. Ahí sí que aprendí y nunca más se me ocurrió beber y conducir.

¿Cuál es el aprendizaje de este capítulo?

El tema principal son los excesos, ya que existen muchos y diferentes. Habitualmente pensamos en el abuso del alcohol y las drogas, pero no solo estas conductas se pueden considerar excesivas. Hay quienes comen en exceso para satisfacer alguna carencia afectiva o ansiedad. Muchos son adictos a los videojuegos o a los teléfonos móviles. Y hay también los que se pasan de rosca con el trabajo o las apuestas. En fin, vivimos en una sociedad muy variopinta donde a menudo los excesos se confunden con las maneras libres de vivir la vida.

Obviamente, como cualquier madre, quiero que aprendas de mis errores, aún sabiendo que eres joven y que vas a cometer los tuyos. Soy muy consciente de que la juventud tiene sus reglas y que los padres intentamos proteger a nuestros hijos, en la mayoría de los casos, basándonos en nuestros propios excesos. No pretendo que seas perfecto, ni busco la perfección en ti, yo tampoco soy perfecta. Solo pido que seas razonable, porque en muchos casos somos nuestros propios enemigos y una decisión mal tomada puede tener consecuencias irremediables para el resto de nuestra vida. Sé que te vas a equivocar porque es la ley del universo, sé que vas a probar cosas (y sinceramente espero que jamás toques ninguna droga), porque lo prohibido atrae al cerebro, pero acuérdate de aprender de cada lección y sobre todo de evolucionar y ser cada día tu mejor versión.

Y algo que imagino que ya sabes de memoria, pero quiero repetirlo en este libro…

CON CUALQUIER PROBLEMA PUEDES ACUDIR A TU PADRE O A MÍ.

Como siempre te dije, no puedo prometer que no me vaya a enfadar, según sea el caso, pero puedes estar seguro de que si alguien en este mundo tuviera que mover el cielo y la tierra para ayudarte, seríamos nosotros. ¿Y sabes por qué? La razón es muy simple, hagas lo que hagas TE AMO y siempre TE AMARÉ.

"Ser padre te enseña el significado del amor incondicional".
(Nicholas Sparks)

Tira la vaca por el precipicio

"La cosa más importante es esta:
sacrificar lo que eres ahora por lo que
puedes llegar a ser mañana".
(Shannon L. Alder)

En 2015 llevaba ya cuatro años en el sector de la cerámica, trabajando como *Export Area Manager*. Estaba contenta con mis progresos y acababa de cambiar de empresa, apostando por una nueva visión y grandes posibilidades de desarrollo. En general, debía sentirme orgullosa, tenía responsabilidades y una buena remuneración, sin embargo, anhelaba la libertad experimentada como empresaria en la sociedad creada con mi hermana en el pasado. Un día pensaba que lo correcto sería trabajar por mi cuenta, pasar más tiempo contigo y ser mi propia jefa, otro, sopesaba todas las ventajas que me daba una remuneración mensual y un trabajo estable en una buena empresa. Podría decir coloquialmente que *"estaba hecha un lío"*. Pasaban semanas y yo seguía sin tomar decisión alguna hasta que llegó el momento culminante.

Estaba de viaje en Rusia, visitando una zona con muy poca cobertura de internet. Recuerdo que antes de irme saqué fotos de unos capítulos de tu libro del colegio, exactamente los que tenías que preparar para tu examen. Era nuestra manera de estudiar juntos mientras yo viajaba. Cada tarde, según la hora en España, me conectaba a *Skype* y estudiábamos *online*. Aquella semana no pude hacerlo porque el internet apenas permitía descargar los *mails* en una zona de cafetería del hotel. Me sentía muy frustrada al no poder cumplir con nuestro ritual de estudios y la sensación de culpa se estaba apoderando de mí. Intenté llamarte y repasar los temas por teléfono, pero me di cuenta de que al no tener contacto visual perdías el hilo de la conversación y no captabas ni la mitad del mensaje.

Sinceramente ya no recuerdo qué nota sacaste en aquel examen, lo que sí puedo recordar con claridad es que aquel viaje fue determinante para tomar la decisión que postergaba ya tanto tiempo. Poco después, arreglé todo para ponerme por mi cuenta como representante de diferentes empresas de cerámica para Polonia. Fue el momento de mi vida en el cual tiré mi vaca por el precipicio. Y debo decir que, aún contando con la inestimable ayuda de mi socia y amiga, no fue nada fácil.

Antes de llegar a la estabilidad, tuve muchísimos momentos de arrepentimiento y ganas de tirar la toalla, momentos en los que ganaba la mitad de lo que estaba acostumbrada hasta ahora, veranos en los que tenía que inventar la mejor manera de pasarlo en casa. Y si alguien me pregunta si volviendo atrás cambiaría la decisión, sin pensarlo le diría que no. A pesar de todo compensa ser tu propio jefe y mucho.

Gracias a esta decisión que tomé, tan trascendente para mi vida, por fin, pude pasar más tiempo contigo, ser partícipe de tus victorias y tus tropiezos; sacarte una sonrisa cuando más lo necesitabas o secarte las lágrimas en los momentos difíciles.

Trabajar para mi significa tener libertad en todos los aspectos y disfrutar de un tiempo de calidad. Hay temporadas de muchísimo trabajo y otras menos cargadas, pero en cada momento soy capaz de organizar mi tiempo como mejor me convenga. Todo lo que he ganado por atreverme a salir de mi zona de confort no tiene precio. Tanto es así que, con la llegada del Covid y ante la gran incertidumbre en todos los mercados, decidí reinventarme y, como ya he dicho, me apunté a diferentes cursos. Finalmente, opté por la educación más profunda en el ámbito de *coaching* y esta decisión me motivó a escribir este libro. Podría haberme quedado paralizada de miedo y perder el tiempo en lamentarme o engancharme a *Netflix*, pero me obligué a salir de mi zona de confort y busqué nuevas posibilidades.

"La vida y el tiempo son los mejores maestros. La vida nos enseña a aprovechar el tiempo y el tiempo nos enseña a valorar la vida".
(Anónimo)

Salir de tu zona de confort es la llave para abrir las puertas del mundo de tus sueños, es el impulso que necesitas para cumplir tus objetivos. Sin embargo, la gran mayoría de personas prefiere lo conocido, lo seguro, a pesar de que no les traiga la satisfacción plena. ¿Te preguntas por qué es así? La respuesta es muy sencilla, desde hace millones de años estamos programados para sobrevivir y aunque el entorno ha cambiado muchísimo, nuestros patrones mentales siguen siendo los mismos. Nuestro cerebro nos mantiene en la zona de confort alejándonos del dolor y aumentando el placer. La vida dentro de tu zona de confort es aparentemente segura, tenemos sensación de estar arropados por lo conocido y experimentado. Pero no nos damos cuenta de algo, seguimos siempre los mismos modelos, nuestro comportamiento es reactivo y olvidamos ser proactivos. La comodidad de nuestra zona de confort es muy peligrosa, porque nos impide crecer, lograr mucho más, cumplir nuestras ambiciones y, en consecuencia, nos vuelve mediocres.

Es muy frecuente, encontrarse con aquellas personas que piensan que están bien tal y como viven ahora o simplemente que no necesitan más. Pero es el miedo al cambio, el miedo al fracaso, lo que nos impide movernos. Y en estos casos propongo un ejercicio simple que aprendí en uno de mis entrenamientos. Consiste en hacerte dos preguntas muy sencillas:

1. Si hoy fuera el último día de vida en nuestro planeta, ¿cómo te gustaría pasar estas 24 horas?
2. Imagínate que llegas al final de tus días en el estado presente, sin cambiar nada. ¿Hay algo de lo que estarías arrepentido de no haber hecho?

Una sincera respuesta a ambas preguntas es la clave para saber si ya eres tu versión óptima, si tu vida es la vida perfecta que siempre has soñado. Porque si no lo es, significa que es el momento de tomar decisiones.

Cuando permanecemos quietos simplemente no estamos motivados para conseguir algo más en el aspecto que sea. Este concepto está muy bien explicado en otro ejemplo que me enseñaron:

Imagínate dos edificios de diez pisos, uno enfrente del otro. Entre ambos edificios hay una rampa que permite pasar de uno a otro. La rampa está construida en el último piso. Si alguien te ofrece cien euros por pasar de un lado a otro por una rampa que no está asegurada, ¿lo harías? Mucha gente respondería que ni hablar, aunque seguramente algún *kamikaze* diría que sí. ¿Y qué pasaría si la oferta es mucho más suculenta y en vez de cien euros fueran cien mil euros? Obviamente, en muchos casos la decisión sería totalmente diferente, ¿cierto? Y si el edificio de enfrente estuviera ardiendo en llamas y desde la otra punta tu hijo, tu madre o la persona que más amas te rogara ayuda, ¿no irías a ayudarla? La respuesta es obvia: *"¡Sin dudar y gratis!"*. Claro, ha cambiado la motivación…

La zona de confort es un espacio demasiado pequeño para crecer. Y si deseas una verdadera transformación en cualquier campo, tienes que dar este primer paso: ten consciencia sobre cuál es tu situación actual con respecto al objetivo que quieres alcanzar. Seguidamente hay que trazar un plan de acción y, aunque te acompañe la emoción de incomodidad, debes aprender a estar cómodo en lo incómodo. De esta forma, con la práctica te acostumbrarás a cuestionarte y a moverte de tu zona de confort de una forma continua. Obviamente a una transformación siempre le acompañan los momentos de dolor. Es igual cuando queremos alcanzar una meta en el deporte: si logramos superar el punto cuando nuestra mente nos dice que paremos, entonces alcanzamos estos resultados tan esperados. Recuerda que la magia ocurre justo cuando nos movemos de la zona de confort.

"Nadie ha muerto jamás de incomodidad, y, sin embargo, vivir en nombre del confort ha matado más ideas, oportunidades, acciones y crecimiento que todo lo demás junto. Si tu objetivo en la vida es estar cómodo, te garantizo una cosa: jamás serás feliz".
(T. Harv Eker)

https://youtu.be/ue9cYI4IacE

Bicicas, la responsabilidad y la congruencia

"La verdadera sabiduría está en
reconocer la propia ignorancia".
(Sócrates)

Eres un típico adolescente que cada día se ilusiona con algo nuevo. Ya pasamos por la temporada de las motos (más bien este tema está regresando como un *boomerang*), y de momento estamos atravesado la etapa de las bicicletas, que al menos en esta parte del mundo son el medio de transporte favorito de la juventud. Te pasaste el verano entero sobre la bici y, aunque las distancias que recorrías me daban algo de vértigo, el hecho de que siempre ibas acompañado de tus amigos calmaba la parte de la madre sobreprotectora que hay en mí, tanto es así que me convenciste de sacar a mi nombre un carnet de bici de ciudad en Bicicas con el fin de utilizarlo tú.

Esta mañana mientras disfrutaba del amanecer en la playa, me has llamado bastante preocupado (este fin de semana te tocaba estar con tu papá) y me has dicho:

—Mamá, me acaba de llegar la sanción de Bicicas por no devolver la bici a tiempo.

No sé si fue por la falta de café a estas horas de la mañana o porque la playa me proporciona un estado de paz sobrenatural, la cuestión es que te contesté con mucha tranquilidad:

—Cariño, ayer no utilizaste la bici.

Con estas palabras abrí la caja de Pandora...

—Le dejé utilizar el carnet a un amigo de mi equipo, —dijiste como si nada.

Es aquí cuando me desperté de mi estado de calma:

—Le escribes y le preguntas qué ha pasado, —dije algo más seria—. Y si no te contesta, por la hora que es, pues enseguida le verás en el partido y averiguarás qué ha pasado, —añadí intentando mantener la serenidad, para no perjudicar tu desempeño en el partido que ibais a jugar en breve—.

Creo que no ha servido de mucho porque no solo habéis perdido, además empezaste a llamarme cada dos minutos proporcionando más detalles de la historia que se enredaba con cada llamada.

—Mamá, lo que pasó es que mi amigo se cayó regresando a su casa y partió el enganche de la bici, así que la dejó apoyada en la parada y se fue a su casa, —me contaste—.

—Pero, ¿qué me estás diciendo?, —respondí con cierto grado de enfado—. Si lo hizo así, la bici ya no está, tenlo por seguro, —dije—. Dile que vaya a la parada donde la dejó y, si tiene suerte y aún la encuentra ahí, que la asegure o que se la lleve a casa, —añadí y pensé— estos jóvenes no piensan.

Te hice averiguar el número de teléfono de Bicicas y llamé para avisar de lo sucedido. El amable operador solo resoplaba dándome indicaciones de lo que se puede y lo que no, según el contrato. Por supuesto, no les dije que fuiste tú el causante de aquel caos, asumí la culpa como persona responsable (al menos eso pensé en aquel momento) y declaré que iba a aceptar la sanción sin discutir. Después de un par de horas más de intercambio de llamadas y cambio de versiones, visiblemente enfadada, hice un breve análisis de la historia, que cada vez tenía menos lógica y te llamé diciendo:

—Daniel, lo que me estás contando no tiene ni pies, ni cabeza, simplemente no cuadra, así que voy a llamar a los padres de este chico.

Me conoces muy bien y sabías que ya poco podías hacer, tan solo me dijiste:

—Mamá, no te preocupes, si te sancionan con una multa, será para él, ya se lo advertí, que la culpa es suya.

Solo me faltaba esta frase para explotar, aún así, con mucho esfuerzo intenté controlar mi ímpetu y te contesté:

—Si ya tenemos que hablar de culpa, pues es tanto tuya, como suya, por lo tanto, si toca pagar lo haréis a medias.

—¿Yo que culpa tengo?, será por bueno, —respondiste—.

Así que proseguí con la explicación frenando mis ganas de gritar:

—Le diste mi carnet sin consultármelo y tuve que escuchar el sermón de parte de Bicicas, como si fuera una cría, exclamé—.

—No sabía que tengo que consultarte este tipo de cosas, —dijiste—.

Entonces decidí no enfadarme y explicarte la situación para que la entendieras:

—Ponte en mi lugar e imagina que me dejas algo tuyo y yo sin tu permiso lo presto a otra persona y lo estropea, ¿tendría mi parte de responsabilidad?

—Pues sí, pero menos que la otra parte, —añadiste—.

—De menos nada, los responsables sois los dos y ahora lo que tenemos que hacer es solucionar esta situación y no seguir dándole vueltas, —dije—.

Entre tanto, tu padre tomó cartas en el asunto y se puso en contacto con los progenitores del otro chico (imagino que, conociéndome tal y como me conoce del pasado, eligió la vía diplomática).

Pero algo seguía haciéndome ruido, así que afloró mi nueva versión de la cuestionadora profesional y me hice la siguiente pregunta: ¿he actuado bien en todo el momento? ¿Podría haber hecho algo para evitar esta situación?

No tiene mucho sentido engañarme a mí misma, por ello me contesté con total honestidad: la primera que ha fallado en esta historia fui yo. Mi hijo no tiene edad para disponer de Bicicas y yo, sabiéndolo, saqué el carnet para él. Cómo puedo exigir que sea responsable sin ser congruente…

Cuando me llamó la mamá del chico implicado para pedirme perdón y asegurar que se hacía cargo de todo, le contesté con toda la tranquilidad:

—En este asunto somos tres partes implicadas y cada una tiene que asumir su responsabilidad: yo por dejar usar el carnet a mi hijo, él por dárselo al tuyo sin consultar y el tuyo por no contar la verdad desde el principio (que al final resultó que le robaron la bici antes de poder devolverla en la parada). Por ello, vamos a hacer lo correcto y asumiremos lo que nos diga la empresa de alquiler de bicis— añadí.

Menos mal que hay aún mucha gente educada y civilizada y la mamá del chico es una de estas personas. Estuvo de acuerdo con todo lo que le dije y fue a poner la denuncia sobre lo ocurrido.

Por última vez ese día decidí hablar contigo. Esto fue lo que te dije:

—Cariño, en esta ocasión hemos fallado todos, yo la primera por sacar el carnet, tú por permitir utilizarlo a terceros sin pedirme permiso y, el que menos de los tres, el pobre chico que seguramente se quedó traumatizado por el atraco.

Entonces tú, tan astuto, me contestaste:

—Mamá, muchas gracias por la lección, he aprendido muchísimo. Es más, si te toca pagar algo, no me compres los regalos para Navidad que no los merezco. (Sin lugar a dudas triunfarás en la política, o en cualquier otra rama que elijas 😆).

Ninguno tenemos el manual de cómo educar a nuestros hijos. En muchas ocasiones, y por las creencias arraigadas desde generaciones, creemos tener la razón absoluta y reclamamos que los hijos nos obedezcan ciegamente, solo porque somos sus padres. Obviamente somos los maestros para nuestros hijos y pretendemos que los niños sean dóciles. No obstante, en muchas ocasiones la falta de congruencia de nuestra parte imposibilita la correcta comprensión de nuestras exigencias.

Los niños son muy inteligentes y no paran de analizar todo lo que observan. Por ello, la mejor manera de enseñar las cosas no es con las palabras, sino predicando con el ejemplo. No podemos castigar a los niños por mentir cuando les enseñamos lo contrario, justificando que lo nuestro es comprensible. El mejor ejemplo es cuando suena el timbre y mandas a tu hijo para que abra la puerta y diga que no estás. O en mi caso, la mentira que le conté al operador de Bicicas evitando mencionar que estabas usando mi carnet. O cuando pedimos que nuestros hijos se queden quietos un rato mientras realizamos una gestión y nos enfadamos cuando nos interrumpen cada dos minutos, pero a diario llevamos una vida con mucho estrés, haciendo diez cosas a la vez y sin tener ni un rato para una conversación de calidad.

Ser un padre congruente es todo un reto, pero la práctica y el cuestionamiento continuo nos ayudarán a conseguirlo. No somos perfectos y nos equivocamos, incluso teniendo la mejor intención, pero con nuestra congruencia debemos reconocerlo y dar ejemplo valioso a nuestros hijos.

"Para cambiar el mundo es necesario comenzar por uno mismo".
(Alejandro Jodorowsky)

El tiempo es oro, aprende a utilizarlo para tu beneficio

"Un minuto que pasa es irrecuperable.
Conociendo esto, ¿cómo podemos malgastar
tantas horas?".
(Mahatma Gandhi)

De pequeña pensaba que el tiempo pasa de una manera muy lenta. Aún recuerdo como deseaba ser adulta para hacer todas aquellas cosas maravillosas que no estaban permitidas a los niños. Me daba la sensación de que los años pasan demasiado despacio y en ocasiones me quejaba de lo aburrido que es ser una niña. Y, de repente, al llegar a la adolescencia y a las obligaciones relacionadas con los estudios, empecé a quejarme de la falta de tiempo. ¿Será verdad lo que dicen, de que no hay quien entienda a las mujeres?

Las cosas empeoraron bastante cuando naciste, entonces declaré que me faltaba tiempo y necesitaba días de un mínimo de 48 horas, como si fuera algo negociable. Me levantaba por la mañana, hacía todo corriendo, como la gran mayoría de los seres humanos; después horas de trabajo, tareas de casa o compras, tiempo contigo y a dormir. Este era mi plan del día, el itinerario de una mujer, mamá, esposa, empresaria, hermana, amiga e hija. Y lo peor, ya no solo me quejaba de la falta de tiempo, ahora también viéndote crecer entendí lo que un día intentó explicarme mi padre:

"Cuando veas crecer a tu hijo te darás cuenta de que el tiempo pasa volando". Es muy cierto, un día te levantas y decides que ya no puedes posponer más la cita en la óptica porque la distancia focal al entrecerrar los ojos no da para más. Seguramente hay algo de verdad en lo que dicen sobre cómo afecta a la vista cansada tras varias horas en el ordenador. Al final todo se acumula, pero

la realidad es que antes me maquillaba para aparentar ser mayor y ahora lo hago para disimular los signos de la edad.

La cruda verdad es que vivimos corriendo y quejándonos de la falta de tiempo, al menos la gran mayoría de las personas que conozco, pero pocas veces pensamos de manera constructiva cómo podemos inventarnos unas horas adicionales durante la semana, el mes o todo el año. Hasta hace poco este fue mi entorno. Yo era una de esas eternas quejicas cargada de obligaciones y una enorme falta de tiempo. Un día escuché a Jürgen Klarić comentar cómo se ha inventado un día extra a la semana. Me fascinó la idea, pero la verdad no cambié nada, ¿por qué? En aquel entonces pensaba igual que la gran mayoría: "Me encantaría ser como él, pero yo soy yo, no puedo, me faltan fuerzas como para ahora empezar a dormir menos". Reduciendo las horas de sueño es justo como mi mentor ha ganado un día extra a la semana.

En este punto tengo que hacer una pausa para explicarte que este pensamiento fue una clara instrucción a mi cerebro:

"No hagas nada, quédate en tu zona de confort".

Pero el destino es muy sabio y al final me condujo a explorar la carrera de coach y llegar a los más grandes en la materia, como Tony Robins. En su libro *Poder sin límites* habla del modelado. La definición más sencilla de este concepto me la facilitó Google:

"El modelado PNL es el estudio de cómo la gente consigue resultados exitosos en sus vidas y cómo copiarlos para que cualquier persona pueda obtener resultados similares".

Como yo confío mucho en los mensajes que me manda el universo, decidí finalmente practicar esto de levantarme antes siguiendo la idea principal del modelado y tomando como ejemplo a Jürgen. Tiré la toalla dos semanas después, agotada por el cansancio acumulado. Cabe añadir que siempre predicaba que para mantenerme en condiciones decentes necesitaba dormir mínimo 8 horas. Así que muy feliz regresé a mi hábito anterior de dormir lo que toca. Eso solo demuestra que nuestras palabras y nuestros pensamientos crean nuestra realidad:

"Tanto si piensas que puedes, como si piensas que no puedes, estás en lo cierto". (Henry Ford)

Imagino que él, quien nos guía en la vida, entendió muy bien la diferencia entre maravillarse con los nuevos aprendizajes y ponerlos en práctica, porque seguidamente me mandó otro libro, ya para rematar mis dudas sobre este sistema. Es así como llegué a Robin Sharma y su *bestseller El club de las 5 de la mañana*. Este libro me abrió los ojos y por fin entendí por qué es tan importante levantarse a esta hora y aprovechar el silencio absoluto y la falta de distracciones e interrupciones, ya que solo entonces fluimos y somos realmente creativos.

Gracias a este libro entendí por qué las primeras horas de la mañana son vitales para nuestro crecimiento y la idea de que debemos dedicarlas a nuestras tareas importantes y no urgentes. Las tareas importantes son todas estas actividades relacionadas con el crecimiento personal y profesional. Y las tareas urgentes son aquellos fuegos que tenemos que apagar y que consumen la gran parte de nuestro tiempo. Si te soy sincera, para mí esta información fue como el descubrimiento de un nuevo planeta, ya que hasta el momento hacía todo al revés. Así que pensé, si Robin Sharma está convencido de que el hecho de levantarse a las 5 am es el primer gran paso a un cambio muy poderoso pues hay que implementarlo y de paso aplicar su famosa fórmula 20/20/20, basada en el entrenamiento de la mente, el corazón, la salud y el alma.

LA FÓRMULA MÁGICA 20/20/20 por Robin Sharma:

La fórmula consiste en dedicar la primera hora de la mañana, de 5 am a 6 am, a tres bloques de 20 minutos cada uno: movimiento, reflexión y crecimiento. Es muy importante guardar el orden preestablecido de estos tres elementos. Por lo tanto, nos levantamos a las 5 am y empezamos con el ejercicio cardiovascular que provoque sudoración. Por ejemplo, correr, montar en bicicleta, saltar a la comba. De esta manera no solo aceleramos el metabolismo y promovemos la vida sana, sino que también aumentamos nuestra capacidad de concentración y nuestra energía. Existe también otro beneficio maravilloso que mucha gente desconoce: el ejercicio matutino reduce de forma significativa la concentración de cortisol en nuestro organismo, o sea la hormona del estrés y el miedo. De esta manera nuestro cuerpo está preparado para el máximo rendimiento.

La segunda parte de nuestra hora poderosa la dedicamos a la reflexión, en la cual encontramos nuestro silencio y una profunda paz. Vivimos rodeados del ruido y distracciones, por ello 20 minutos de sosiego cada mañana es un regalo. En este bloque podemos meditar, rezar, escribir un diario o reflexionar sobre nuestra vida o planificar nuestro día. Es el momento perfecto para dar las gracias por lo que tenemos.

Ejerciendo estas prácticas no solo seremos más serenos, también aumentará nuestra creatividad, positividad y, en general, nuestra vida va a enriquecerse sustancialmente.

Los últimos 20 minutos están dedicados al aprendizaje continuo mediante un libro de crecimiento personal, biografías de las personas que nos inspiran o un curso. Esta práctica nos ayuda a mejorar como profesionales y nos pone por delante de la competencia, aumentando nuestra confianza y nuestras capacidades.

Truco muy sencillo para levantarnos a las 5 am recomendado por Robin Sharma: "Encontramos un viejo despertador para poder prescindir del móvil y le cambiamos la hora para engañar a nuestro cerebro. Por ejemplo, si lo adelantamos una hora, aún sabiendo que es así, nos costará mucho menos levantarnos a las 6 am que a las 5 am".

Si repaso mentalmente todos los años de mi vida me doy cuenta de que siempre estuve muy ocupada, pero no siempre productiva y también reconozco que desperdicié mucho tiempo en diferentes áreas: los compromisos que no me aportaban nada por no saber decir que "no", las actividades absurdas o las que directamente no me apetecían, horas delante de la tele o en internet. La única suerte es que nunca me gustaron los videojuegos ni redes sociales, si esto puede servir de consuelo.

Y bueno, hablando de los últimos inventos de la tecnología, espero que te acuerdes siempre de nuestras normas en la mesa. Y te las recuerdo para que no me vuelvas a decir lo mismo que me dijiste hace ya años:

—Mamá, a veces no te entiendo, será que como eres extranjera te expresas de una forma poco clara…

Si bien recuerdo era tu excusa perfecta cuando no cumplías con las cosas que me prometías o no te interesaba entenderme porque implicaba algo que no te apetecía hacer.

Volviendo a las normas, ¡NO MÓVILES EN LA MESA!

Hay que aprovechar estos momentos para hablar porque es muy triste perder estas costumbres tan básicas en las relaciones con nuestra familia o amigos. Parece que vivimos al lado de las personas y ya no compartimos nada con ellas.

Recuerdo que un día nos pusimos a observar las mesas a nuestro alrededor en un restaurante y prácticamente todos, entre plato y plato, estaban metidos en sus móviles pasando olímpicamente de los acompañantes. Quizás es una nueva manera de mantener las conversaciones en secreto y yo no me he enterado aún. A veces tengo la sensación de que las personas cuidan más a sus móviles que a sus seres queridos, o al menos pasan mucho más tiempo con ellos y no se dan cuenta de que es como una droga.

Los niños de hoy viven sobreestimulados y tienen muchos problemas de concentración. Pero no es de extrañar, lo primero que hacen nada más levantarse, es consultar las redes sociales o el *WhatsApp*. Qué digo niños, los mayores hacemos lo mismo. No hemos aprendido a utilizar los móviles de manera consciente y a limitarnos el tiempo en internet, *chat* o redes sociales, si así fuera dispondríamos de varias horas de tiempo libre a la semana, mayor concentración y salud mental.

El libro escrito por Joe Clement y Matt Miles demuestra que la adicción a la tecnología mata la creatividad y limita las relaciones sociales, algo que afecta sobre todo a niños y jóvenes. Los autores basan sus conclusiones en las prácticas de Steve Jobs o Bill Gates, que restringían de forma muy estricta el acceso a las nuevas tecnologías a sus propios hijos.

El tiempo nos hace iguales a todos, ya que es el recurso más democrático que existe. ¿Qué quiero decir con esto? Que todos, absolutamente todos, tenemos las mismas 24 horas diarias durante los 365 días del año y la única diferencia consiste en cómo las usamos y, por lo tanto, en los resultados que obtenemos.

https://joannahabiak.com/diario-despierta-tu-poder/

Las personas de éxito cuidan su energía vital

"Antes de diagnosticarse con
depresión o baja auto-estima asegúrese
de no estar rodeado de idiotas".
(Sigmund Freud)

Sobre la energía vital aprendí de mi mentor Jürgen Klarić. Es más, toda la información que encontré acerca de este tema provenía en su gran mayoría de la filosofía asiática y poco tenía que ver con la explicación clara y concisa que puedes encontrar en los cursos de Jürgen. Por ello, este capítulo se basa en sus aportaciones sobre algo tan importante que es la energía vital. El siempre amigable *Google* me sacó esta breve definición: La energía vital es el combustible que el cuerpo humano necesita para vivir y ser productivo.

A lo largo de los capítulos de este libro ya hablamos sobre las diferentes fuentes de energía, no obstante, teniendo en cuenta la envergadura de esta materia, decidí recopilar todo en un solo sitio.

¿Sabías que si quieres conseguir cualquier cosa en tu vida los altos niveles de energía vital son muchas veces más importantes que un talento innato?

Para aprender más rápido o hacer cualquier cosa necesitas tener energía y, si además quieres cambiar algunos hábitos, necesitas aumentarla por tres, ya que el cambio consume bastante más energía que el propio aprendizaje. Asimismo, está demostrado que la gente que tiene bajos niveles de energía tiene mucho más miedo, en cambio las personas con altos niveles de energía tienen más dinero, viven más años, triunfan en el amor y habitualmente tienen más amigos.

Y aunque ambos sabemos que eres una persona con altos niveles de energía, debes profundizar en este tema porque saber generar energía, administrarla o invertirla puede ayudarte mucho en todo tu camino.

Recuerdo que cuando eras pequeño, tu abuelo Juan un día nos contó que corrías por su casa hasta que literalmente agotaste tus baterías y te dormiste mientras tus piernas aún estaban en movimiento, cosa que asustó muchísimo a tu abuelo porque parecía que te estabas desmayando a cámara lenta.

Así que voy a explicarte las diferentes fuentes de energía para que puedas ganarla y después optimizarla en cualquier momento de tu vida, tanto si te tocan exámenes, tienes que tomar decisiones importantes o simplemente si quieres tener más energía para compartir con tus seres queridos.

Dejaré sin comentario algunos de los temas recopilados en este esquema, porque o bien ya fueron comentados antes, o porque una breve descripción en el mapa mental, adjuntado aquí, será más que suficiente.

https://joannahabiak.com/mapa-energia-vital/

Bajo mi punto de vista deberías empezar por revisar tu círculo primario y el círculo ampliado. ¿A qué me refiero aquí? Debes repasar todas tus personas cercanas que te roban mucha energía y o bien intentar ayudarlas para que cambien o eliminarlas, si se puede, de este círculo. Si resulta que por casualidad alguna yo soy esta ladrona despiadada, o cualquiera de tu familia y no puedes tachar al individuo de la lista, pues evita el contacto demasiado frecuente. Puedes ser un buen familiar a distancia. Y por muy cruel que suene este consejo, te aseguro que es lo más saludable. Lo mismo conviene hacer con el círculo ampliado, olvídate de la gente que roba tu energía y sobre todo aléjate de la gente negativa.

"Eres el promedio de las cinco personas que te rodean". (Jim Rohn)

La actitud positiva es uno de los pilares de mi filosofía de vida y me encantaría que fuese la tuya también. Recuerda que la actitud positiva es una decisión. Es cierto que cada uno de nosotros puede tener algún mal momento, por ello necesitas tener recursos para remediarlo antes de que te afecte. ¿Cómo? Pues yo tengo siempre mi lista de canciones que me sacan de inmediato de cualquier mal estado o, como bien sabes, si me veo agobiada organizo mi cumpleaños adicional el día que sea (este año creo que lo celebramos mínimo tres veces). Puedes también ver una película de comedia, ya que reír es el mejor remedio para todo, también puedes bailar, salir a correr o simplemente quedar con una persona que siempre está de buen humor porque te aseguro que es contagioso.

Vive tu vida y no juzgues ni critiques a los demás, sobre todo porque pierdes demasiada energía y atraes lo que no quieres. Sé agradecido y sonríe muchísimo. Y por favor, vive en presente, no te enfrasques en el pasado porque ya no lo puedes cambiar. La gente exitosa se enfoca en el presente y en ver en cada situación un lado positivo, aunque a priori no lo parezca. No asumen el rol de víctima, se hacen responsables de su vida y de cada una de las situaciones. Acuérdate de que lo que nos afecta no son las situaciones que vivimos sino las interpretaciones que les damos. Mi mamá suele decir: "No hay que preocuparse que siempre hay una solución para todo".

Imagino que ya sabes de memoria que dormir bien aporta mucha energía. Recuerdo distintas etapas de mi vida cuando literalmente sufría insomnio o dormía francamente mal. Por ello me pasé un tiempo buscando consejos para aprender a dormir correctamente y sobre todo recuperarme durante el sueño. Al principio, como la gran mayoría de gente, pensaba que un buen colchón, una almohada correcta y muchas horas garantizaban el sueño profundo y regenerador, pero con el tiempo descubrí que no sabía dormir. Realmente para funcionar bien y tener buena salud y energía óptima, debemos dormir de 4 a 5 ciclos completos y, por si no lo sabes, cada ciclo dura de 90 a 110 minutos. Pero hay más, el dormitorio debe estar bien acondicionado, oscuro, ventilado, temperatura ideal entre 15° - 19° y libre de aparatos electrónicos.

Y por mucho que pongas los ojos en blanco, hay estudios que han demostrado que los dispositivos electrónicos emiten luz azul que reduce nuestros niveles de melatonina (la sustancia química que nos avisa de que necesitamos dormir). Y por supuesto hay que cenar pronto, como en Polonia, a ser posible entre 19:00 y 20:00 horas. ¿Recuerdas aún la frase de mi abuela que te repetí en varias ocasiones? "Para no tener pesadillas hay que cenar poco y temprano". Y para que tu descanso sea perfecto, lo ideal es pasar la última hora compartiendo con tu familia o leyendo (por favor no me digas: "¡No seas pesada!". Estos consejos son de suma importancia).

Conocer diferentes técnicas de respiración para combatir el estrés o el miedo es muy beneficioso para nuestros niveles de energía. Aprender a respirar nos ayuda a recuperarla y nos beneficia en la salud. Yo, personalmente, aprecio mucho dos técnicas, una la aprendí en el curso de meditación de Emily Fletcher y la otra de Nora Beltrán durante el curso de lectura rápida y mapas mentales.

La respiración reequilibrante (Emily Fletcher) ayuda a comunicar los dos cerebros, el crítico y el creativo. Es muy importante ejercitar a ambos, ya que en su gran mayoría utilizamos el hemisferio izquierdo y dejamos bastante abandonado el derecho. Es como ir al gimnasio y solo hacer abdominales mientras nuestros brazos están fofos. Ayudando a comunicar ambos cerebros somos más creativos a la hora de solucionar las situaciones complicadas que nos estresan mucho.

Para realizar esta respiración debemos sentarnos con la espalda apoyada y utilizando los dedos pulgar e índice realizamos la respiración. Tapamos la fosa nasal izquierda, expiramos el aire sobrante por el lado derecho e inspiramos por el mismo lado. Después cambiamos de lado y tapamos el otro orificio, realizando una inhalación profunda y expirando hasta el fondo. Mientras inhalamos imaginemos que el aire entra desde la base de nuestra columna vertebral y nos llena de energía, después exhalamos enviando desde el centro de nuestra frente todo el aire con la energía afuera, alimentando con ello nuestro día y todo lo que deseamos realizar. Hacemos 5 repeticiones de cada lado.

Respiración Alfa 5-3-3 (*Nora Beltrán*): nos ayuda a potenciar los procesos creativos y mejora nuestro estado de ánimo, también se llama la respiración de alto rendimiento.

Sitúate en una posición cómoda, con la espalda recta. Respira por la nariz. Inspira profundamente durante 5 segundos inflando tu estómago, guarda la respiración durante tres segundos y luego exhala escuchando la respiración saliendo durante tres segundos. Repite tres veces.

La meditación fue mi talón de Aquiles durante muchos años. Cada vez que escuchaba sobre la meditación y sus beneficios me invadía la sensación de impotencia por no saber centrarme en mi respiración y alejar todos los pensamientos. Es más, cada vez que me lo proponía los pensamientos llegaban con más fuerza, parecía que mi cerebro estaba boicoteando mi buena voluntad.

Un día me apunté al lanzamiento del curso de Emily Fletcher. Lo hice para que no se diga que no he probado de todo. Fue un amor a primera vista, Emily fue la primera persona que no me dijo que tengo que poner mi mente en blanco. De hecho, admite todo tipo de pensamientos. Sus clases son divertidas y muy educativas y por fin puedo decir que la meditación es clave para combatir el estrés, uno de los principales ladrones de energía.

El dinero bien ganado es una inmensa fuente de energía, es uno de los vehículos más poderosos en el camino a nuestras metas. Recuerda siempre que no es la finalidad en sí, más bien es la gasolina que pone en movimiento la inmensa máquina de fabricación de tus sueños. Si lo utilizas bien y ayudas a los demás siempre, va a regresar a ti de forma multiplicada. Es más, si obtienes el dinero ejerciendo tu propósito de vida, tu energía aumenta de forma brutal. Por ello, te animo a encontrar tu verdadera vocación *(te expliqué cómo con el método IKIGAI)*, para que ames lo que haces, porque no solo te mantendrá en altos niveles de energía vital, además dará verdadero sentido a tu vida y, por consiguiente, te hará enormemente feliz.

"El capital no es un mal en sí mismo, el mal radica en su mal uso.
(Mahatma Gandhi)

https://joannahabiak.com/recetas-energeticas/

Enamorarse, querer, amar

—Te amo, —dijo el principito—.
—Yo también te quiero, —dijo la rosa—.
—No es lo mismo, —respondió él...
— Amar es la confianza plena de que pase lo que
pase vas a estar, no porque me debes nada, no
con posesión egoísta, sino estar, en silenciosa
compañía. Amar es saber que no te cambia el
tiempo, ni las tempestades, ni mis inviernos.
Dar amor no agota el amor, por lo contrario, lo
aumenta. La manera de devolver tanto amor, es
abrir el corazón y dejarse amar.
—Ya lo entendí, —dijo la rosa—.
—No lo entiendas, vívelo, —agregó el principito.

(Antoine de Saint Exúpery)

Llegado el momento de la adolescencia cabe mencionar los conceptos relacionados con el amor. Ya que es un tema complicado para muchos adultos, no es de extrañar que los jóvenes pasen por ciertas etapas relacionadas con el "corazón" de una manera muy explosiva.

Empecemos por el principio y descubramos qué hay detrás de la palabra enamorarse. Mi amigo Google dice lo siguiente: "El enamoramiento es un estado emocional que surge cuando conocemos a una persona que nos atrae y nos genera confianza y confort. Este estado de alegría se debe a ciertos cambios bioquímicos que se producen en el cerebro, principalmente por la descarga de la hormona dopamina".

Cuando te enamoras ves el mundo con las gafas de colores, todo es maravilloso y perfecto, no ves a la persona cómo es realmente. Lo que haces es crear en tu mente una imagen ideal de tu prototipo perfecto, que normalmente muy poco tiene que ver con la realidad. Estar enamorado te deja en un estado de euforia continua, sientes mariposas en el estómago, tienes necesidad constante de estar al lado de esta persona, parece que sin ella no puedes seguir. Muchas veces nos enamoramos y después desenamoramos de nuestras parejas, cuando pasa esta fase de la perfección aparente y empezamos a ver los defectos que antes parecían escondidos. Uf, es horrible, de repente vemos que nuestro príncipe o princesa en realidad es una rana y la culpamos inconscientemente de habernos inducido a la confusión. También hay veces que después de la fase de enamoramiento, decidimos querer o amar a la otra persona, porque querer o amar es una decisión.

¿Recuerdas cuando eras pequeño y me preguntaste por qué unas personas dicen te quiero y otras te amo? No entendías la diferencia entre ambas palabras y yo te la expliqué tal y como lo sentía.

—Querer es un sentimiento que implica esperar algo a cambio, por ejemplo, cuando queremos a alguien esperamos que sea reciproco, necesitamos sentirnos correspondidos, de lo contrario nos disgustamos, sufrimos. Querer nunca es el sinónimo de aceptar a la otra persona tal y como es; más bien intentamos moldearla a nuestra idea de la pareja perfecta. Amar, sin embargo, es un sentimiento incondicional. Amamos a pesar de todo, amar es el sentimiento más puro que existe. Cuando amas aceptas a la otra persona tal y como es con sus virtudes y defectos, porque por encima de todo deseas verla feliz.

Esa fue mi explicación.

—¿Lo entiendes?, —añadí—.
—Sí mami, yo te amo, —dijiste—.

A partir de aquel día la palabra amar se apoderó de tu diccionario. He procurado en estos más de catorce años decirte a diario lo mucho que te amo y me hace muy feliz que tú sigas haciendo lo mismo conmigo. Ya solo por este motivo siento que he triunfado como madre 😍.

Hace poco llegó a mis manos un maravilloso libro de Gary Chapman titulado *Los 5 lenguajes del amor*. Al leerlo me di cuenta de que durante todo este tiempo te enseñé a hablar distintos lenguajes del amor sin percatarme de ello y sin detectar cuál era tu lenguaje primario.

Según el Dr. Chapman, existen cinco lenguajes del amor y cada persona tiene un leguaje que predomina en su forma de expresar o recibir amor. Es otra de estas cosas tan sencillas que nadie nos enseña. Conociendo el lenguaje del amor preferido por tu pareja, hijo, familiar o amigo, puedes mejorar las relaciones de manera sustancial. Este aprendizaje me ha servido para darme cuenta de que puedo lograr muchísimo en mi entorno más cercano aplicando las enseñanzas de este escritor estadounidense. A modo de resumen, diré que existen estos cinco lenguajes primarios de amor y cada uno de ellos puede tener distintos dialectos:

- Palabras de reconocimiento: las personas cuyo lenguaje principal son las palabras, se sienten amadas cuando reciben elogios, palabras de afecto, ánimos o felicitaciones.
- Contacto físico: amamos a través de los besos, abrazos, caricias, pero también palmaditas en la espalda, masajes o algún tipo de batallas inocentes con los hijos adolescentes.
- Tiempo de calidad: quizás es uno de los lenguajes más complejos porque, como el mismo nombre dice, requiere tiempo y dedicación, pero para las personas que expresan y reciben el amor por medio de este lenguaje es sumamente importante. No se trata de cenas caras en los restaurantes o viajes por encima de nuestras posibilidades; muchas veces un paseo o una simple conversación sin más distracciones que estar pendiente de la otra persona es más que suficiente.
- Regalos: para los amantes de la VISA he de decir que no solo existen los regalos que compramos, las personas que dominan este lenguaje están felices con cualquier tipo de regalo y muchas veces aprecian incluso más cosas hechas por la otra persona. Cuando te expresas en el lenguaje de los regalos valoras mucho la idea en sí, el tiempo que se pasó la otra persona imaginando o preparando tu regalo y la predisposición por hacerte feliz.
- Actos de servicio: hay personas que entiende el amor como acto de servicio, de forma generosa, sin esperar nada a cambio. Podríamos hablar de las tareas en casa, cocinar, lavar el coche o simplemente servir un té. Cualquier tipo de cosa que puedas hacer por la persona que lo entiende como expresión del amor, le resultará más que gratificante.

Conocer el lenguaje dominante de tu ser querido, ya sea nuestro hijo, padre o pareja es un paso muy importante para mejorar la calidad de las relaciones siempre y cuando decidas hablarlo. Es importante también comunicar a los demás nuestra forma preferida de expresar el amor, ya que no podemos pretender que nadie sea adivino. Pero, por encima de todo, debemos enseñar a nuestros hijos a manejarse libremente en los cinco idiomas y en sus distintos dialectos para que el día de mañana sean adultos con una comunicación rica y libre.

Analizando los lenguajes del amor con mucha atención, he llegado a la conclusión de que básicamente eres bilingüe. Tus dos lenguajes primarios son: el contacto físico y las palabras de reconocimiento. El contacto físico lo expresas en diferentes dialectos, según la persona. Por ejemplo, estando con mi padre no paras de darle codazos o ponerle zancadas, cosa que a ambos os encanta. Yo hasta hace poco no entendía que es tu manera de expresar y recibir el amor. A menudo me enfadaba con vosotros. Ahora al entenderlo permito que lo hagáis de manera libre. Sin embargo, cuando eras pequeño no parabas de pedir abrazos, aún te gustan, aunque ya no con tanta frecuencia como antes y obviamente en la intimidad de tu casa. He entendido que al pasar de niño a adolescente tu dialecto ha cambiado. En cambio, tu otro idioma sigue siendo el mismo, hablo de las palabras de reconocimiento. Te encanta que te diga que te amo o que me siento orgullosa de ti, es más, si te parece que llevo demasiadas horas sin decírtelo, tú mismo lo reclamas.

En mi familia apreciamos mucho el tiempo de calidad, no obstante, últimamente estamos muy atareados todos, pero tras leer todos los libros de Gary Chapman he decidido hablar los distintos lenguajes de forma más frecuente para fomentar estas buenas prácticas entre todos.

He de decirte que, a pesar de tener tus lenguajes dominantes bien desarrollados, te expresas muy bien en otros tantos. Aún recuerdo que, con poco más de cuatro años, me regalaste un par de tarjetas VISA hechas por ti. Me las entregaste con cara de felicidad y estas palabras:

—Mami aquí tienes tus tarjetas, ahora podrás comprarte todo lo que deseas.

Plastifiqué las tarjetas el día siguiente y a partir de entonces forman parte indispensable de mi cartera.

Otra anécdota de las Navidades pasadas. Estuviste con tu papá en Nochebuena y a mí me tocaba el fin de año. Lo pasamos de maravilla, siempre lo hacemos cuando estamos juntos. El día del roscón, pediste a Jesús que te acompañara a mirar cosas en un centro comercial. Al regresar me trajiste un enorme regalo comprado con tus ahorros. Era un precioso pijama de invierno y las zapatillas de estar por casa a juego. Ahora entiendo más que nunca por qué me parecieron los gestos tan lindos y llenos de amor, "los regalos" es uno de mis idiomas favoritos.

También recuerdo que hace poco al regresar de mi paseo matutino por la playa te vi pegado a la ventana impaciente por verme entrar a casa:

—Buenos días, amor, ¿cómo estás?, —pregunté—.

—Hola, mami, entra y sube a la cocina por favor, —me contestaste—.

Te comportabas como cuando tenías pocos años y estabas impaciente porque viera alguna sorpresa que me preparaste. Se me pasaron mil ideas por la cabeza en un instante, pero jamás imaginé lo que vi. En la mesa había un solo plato con unas tostadas decoradas con un enorme corazón de fresas.

—Quise darte esta sorpresa, —me dijiste —tú siempre lo haces por nosotros y yo lo quiero hacer cuando pueda por ti, —añadiste—.

Mis ojos se llenaron de lágrimas, me sentí muy dichosa y feliz por tener un hijo tan fabuloso. TE AMO 😍.

"Amar es encontrar en la felicidad de otro tu propia felicidad".
(Gottfried Leibniz)

https://youtu.be/IuUf6ztwJMc

14 ingredientes de una vida feliz y abundante

> "Se dan consejos, pero no el juicio
> para sacar provecho de ellos".
> **(François De La Rochefoucauld)**

1. **Amor.** Ámate, ama tu gente y ama lo que haces.

2. **Gratitud.** Agradece siempre lo que tienes, a lo que aspiras y los aprendizajes de cualquier situación buena o mala.

3. **Perdón.** Pide perdón y perdona. Aprende a perdonarte a ti también.

4. **Dar.** Da sin pedir nada a cambio. Primero da de corazón y después el universo te regresa por multiplicado todo lo que deseas.

5. **La actitud positiva y la alegría.** Las personas positivas viven más y mejor.

6. **Juicios.** No juzgues ni nunca desees mal a nadie.

7. **Lenguaje y pensamientos.** Cuida tu lenguaje y tus pensamientos, porque crean nuestra realidad. Visualiza lo que te mereces en tiempo presente.

8. **Propósito.** Encuentra tu misión en la vida, porque todos nacemos con un talento que espera ser descubierto y compartido.

9. **Energía vital.** Mantén altos niveles de tu energía vital para poder realizar todo lo que deseas.

10. **Cuestionamiento.** Cuestiónate con frecuencia y aprende de tus errores. Elige ser el héroe y no la víctima.

11. **Meditación.** Desarrolla tu SER.

12. **Lectura y aprendizaje diario.** Lee libros de crecimiento personal, biografías, imparte cursos, conferencias o talleres. Aprende sobre dinero, ventas, comunicación y liderazgo. Implementa el aprendizaje.

13. **Mentores.** Encuentra mentores que te inspiren y aprende a modelarlos con humildad, excelencia, determinación y disciplina.

14. **Viajes.** Viaja y aprende de otras culturas.

"La mayor aventura que puedes tener es vivir la vida de tus sueños".
(Oprah Winfrey)

https://youtu.be/reRH8RcLllc

Libros y cursos recomendados

Libros:

1. *Despertando al giganteInterior* (Anthony Robbins).
2. *Poder sin limites* (Anthony Robbins).
3. *Piense y hagase rico* (Napoleón Hill).
4. *Padre Rico, padre pobre* (Robert T. Kiyosaki).
5. *El club de las 5 de la mañana. Controla tus mañanas, impulsa tu vida* (Robin Sharma).
6. *Los secretos de la mente millonaria* (T. Harv Eker).
7. *Estamos ciegos* (Jürgen Klarić).
8. *Un pequeño paso puede cambiar tu vida: el metodo Kaizen* (Robert Maurer).
9. *El método Ikigai* (Francesc Miralles, Hector García).
10. *Los cinco lenguajes del amor* (Gary D. Chapman).

Cursos :

1. *Mastertraining* - Jürgen Klarić.
2. *Hipnoterapia transformacional rápida para la abundancia* - Marisa Peer.
3. *M de meditación* - Emily Fletcher.
4. *El método Silva de ultracontrol mental* - Vishen Lakhiani.
5. *La nueva aventura de leer* - Nora Beltrán.

Agradecimientos

Hay tantas personas que han confiado en mí y me han apoyado en este proyecto que quizás se me escape alguien y por ello pido perdón.

Gracias a mis chicos, Daniel y Jesús, por vuestros incesantes ánimos y fe en mi talento como escritora.

Gracias a mis padres por educarme como mejor supieron y ayudarme a ser quien soy.

Gracias a mis hermanos que siempre han estado para animarme.

Gracias a Laurita, ya sabes por qué.

Gracias a todos mis amigos, especialmente a Rima, Joanna, Alex, Gemma y Rosi, que fueron testigos de esta creación y me motivaron para desplegar las alas.

Gracias a mi grupo de Emprendedoras Chingonas. Sois maravillosas y me siento muy afortunada por haberos conocido. Mac eres mi fiel compañera en este viaje y una parte muy importante de mi libro. GRACIAS.

Por último, pero no por ello menos importante, gracias a los chicos que me ayudaron con los aspectos que no domino, Daniella, Eliezer, Luz, Javier y mi dúo de músicos maravillosos, Nelson y Ricardo. Sois fantásticos. MIL GRACIAS.

¡GRACIAS!

"Cuando la gratitud es tan absoluta las palabras sobran".
(Álvaro Mutis)